pioneers of modern design

现代设计的先驱者

从威廉·莫里斯到沃尔特·格罗皮乌斯

[英]尼古拉斯·佩夫斯纳 著

何振纪　卢杨丽 译

浙江人民美术出版社

图书在版编目（CIP）数据

现代设计的先驱者：从威廉·莫里斯到沃尔特·格罗皮乌斯／（英）尼古拉斯·佩夫斯纳著；何振纪，卢杨丽译.—杭州：浙江人民美术出版社，2019.6
ISBN 978-7-5340-7047-1

Ⅰ.①现… Ⅱ.①尼… ②何… ③卢… Ⅲ.①艺术史－西方国家－近现代 Ⅳ.①J110.9

中国版本图书馆CIP数据核字(2019)第191840号

PIONEERS OF MODERN DESIGN

By
NIKOLAUS PEVSNER

合同登记号
图字：11-2017-29号

鸣谢

T.B., T.B., W.B., W.A.C., W.G.C., J.P., and D.F., P.S.F., P. and E.G., H.R., F.M.W., the A.A.C., the C.I.

编者按：为了让读者对尼古拉斯·佩夫斯纳原文中所涉及的相关话题有进一步的了解，本书在每章之后特别补充了相关内容列表。这些内容由帕米拉·陶德 [Pamela Todd] 执笔。

页二　高迪：圣家族大教堂尖塔细部。　页三　埃菲尔：埃菲尔铁塔，巴黎，1889 年。巴塞罗那，1903—1926 年。

责任编辑：李　芳
文字编辑：姚　露
责任校对：余雅汝
责任印制：陈柏荣

现代设计的先驱者：从威廉·莫里斯到沃尔特·格罗皮乌斯
[英] 尼古拉斯·佩夫斯纳 著　何振纪　卢杨丽 译

出版发行：浙江人民美术出版社
地　　址：杭州市体育场路347号
电　　话：0571—85105917
经　　销：全国各地新华书店
制　　版：浙江新华图文制作有限公司
印　　刷：浙江海虹彩色印务有限公司

版　　次：2019年6月第1版·第1次印刷
开　　本：787mm×1092mm　1/16
印　　张：12
字　　数：210千字
书　　号：ISBN 978-7-5340-7047-1
定　　价：168.00元

目 录

导 言

理查德·韦斯顿 [Richard Weston]，卡迪夫大学 [Cardiff University] 建筑学教授

尼古拉斯·佩夫斯纳[Nikolaus Pevsner]的著作《现代运动的先驱者》[*Pioneers of the Modern Movement*]由伦敦费伯出版公司费伯出版社[Faber & Faber]首版于1936年，至今仍是了解现代建筑与设计的少数最为重要的参考书之一。与西格弗里德·吉迪恩[Sigfried Giedion]五年后出版的《空间，时间和建筑》[*Space, Time and Architecture*]一书类似，佩夫斯纳并非平淡地追踪现代运动的脉络，而是将之作为一种"公认的风格"，对这一风格中简洁的线条、凌厉的形式以及新颖的空间感展开分析——并且，以此说明科学、工业与机器时代的本质表现。

佩夫斯纳进步的历史观来自于其德国精英艺术史家的教育背景。他来自一个富裕的俄罗斯犹太家庭，1902年生于莱比锡。他曾先后在慕尼黑随海恩里希·沃尔夫林[Heinrich Wolfflin]、在柏林随阿道夫·戈尔德斯密特[Adolf Goldschmidt]、在法兰克福随鲁道夫·考奇[Rudolf Kautzsch]学习，之后回到莱比锡，在威廉·平德[Wilhelm Pinder]的指导下写作其博士论文——讨论城市巴洛克建筑。由于受到平德的影响，佩夫斯纳接受了"时代精神"[zeitgeist]的理念，推定民族特色必然反映于艺术当中——因而，在其《现代运动的先驱者》一书中，他探讨了"在霍夫曼[Hoffmann]的优美，佩尼耶[Perrer]的明净，赖特[Wright]的宏大阔落与舒适厚重，或格罗皮乌斯[Gropius]坚定的直率中，民族品质在他们当中得到了极佳体现"。

1924年，佩夫斯纳获得博士学位，随后在德累斯顿担任义务策展助理。1925年，他作了两次改变其生活的旅行：去巴黎参观装饰艺术展览[Decorative Arts in Paris]，他因此深为勒·柯布西耶[Le Corbusier]的新精神宫[Pavillon de L' Esprit Noureau]所打动；其次则是到访德绍，去观看那具有突破性奠基意义的包豪斯新建筑，其设计者沃尔特·格罗皮乌斯成为佩夫斯纳心目中最能代表现代运动的建筑师。1928年，佩夫斯纳在哥廷根大学[Göttingen University]得到一个学术研究职位，他由此获得资助，前往研究英格兰的艺术与设计，从而奠定了《现代运动的先驱者》的写作基础。

像许多受到同化的犹太人那样，佩夫斯纳最初对民族社会主义理想怀有感情，特别是在艺术与教育方面，但他很快便大失所望。作为犹太裔学者的佩夫斯纳在大学的职位被解聘了，并在1933年离开了德国，游走于欧洲寻找工作。1934年，借助于与英国的联系，他定居了下来，先到伯明翰大学[Birmingham University]工作，随后又受聘于戈登·拉塞尔爵士[Sir Gordon Russell]，在科茨沃尔德经营家具生意——那是佩夫斯纳十分尊崇的艺术与手工艺传统的遗产之一。1941年，佩夫斯纳成为《建筑评论》[*Architectural Review*]杂志的编辑，他在这本杂志上发表

对页
尼古拉斯·佩夫斯纳，1951年。

了大量文章，并且与企鹅图书公司的创建者艾伦·莱恩[Allen Lane]建立了联系，他帮助佩夫斯纳完成了一本影响广泛的书——《欧洲建筑纲要》[*An Outline of European Architecture*]，并写作了一系列不朽的导读，《英国建筑》[*The Building of England*]成为其最为伟大的遗产。

1960年，佩夫斯纳在纽约现代艺术博物馆1949年出版的《现代运动的先驱者》的基础上，进行了更新并修订了题目，由艾伦出了新版。这个版本重点增加了对铁构建筑的讨论，更为强调新艺术[Art Nouveau]在19世纪80至90年代的现在所称英国自由风格[English Free Style]中的地位，并且重新评价了一些关键的独立设计师的设计，像查尔斯·雷尼·麦金托什[Charles Rennie Mackintosh]与弗兰克·劳埃德·赖特。由此显现出一种偶然而强烈的原创色彩：对于当代的读者来说，佩夫斯纳的清晰成熟风格将给《现代设计的先驱者》的读者们或重读者们带来阅读的乐趣。

佩夫斯纳坚称写作这本书的目的是“要证明新的风格，一种真正属于我们这个世纪的正式的风格，在1914年出现了”。基于佩夫斯纳的艺术史信仰，这种新风格的诞生被认为是势不可挡的，而历史学家的任务便是追踪新风格形成的源泉以及辨认其初期出现的普遍特征。其思想即艺术不言自明并毫无疑问地必然反映着这个时代的信念、社会组织以及科技的可能性，同时可以从历史上的各种风格中追溯其本源。然而，“时代精神”[zeitgeist]假设风格本身具有生命，逐渐地铸造成一种看不见但却无处不在地隐藏于艺术背后的推动力量。艺术可以被视为由一系列连续不断的风格领导着而逐步推进，并随着时代向前推进而衰退。

在佩夫斯纳的许多早期的艺术史写作中，这种概念无处不在。艺术与手工艺运动[Arts and Crafts Movement]以及新艺术运动——与偏好机械的现代主义完全不同——在第一次世界大战爆发前，德国已经出现“过渡性的”过程的描述。威廉·莫里斯的伟大不在于他作为设计师的天分，更不在于他对手工作品的推崇，而在于他能够认识到这是“这个时代不能分割的整体”。布鲁内尔[Brunel]的工程学成就可看作是一种“勇敢精神”的表现，这在先前“统治欧洲建筑，在当时由亚绵[Amiens]、博韦[Beauvais]以及科隆[Cologne]所建造”。而且，在题为“绘画中的1890年”的一章中，艺术被认为是揭示了他所发现自现代设计当中同样对于“坚不可摧的平坦表面”与“抽象的重要性”的共同关注。

佩夫斯纳对“时代精神”观念的依赖，其主要的批评来自其早期的博士生戴维·沃特金[David Watkin]，他出版于1977年（在佩夫斯纳于1983年逝世的6年之前）的著作《道德与建筑》[*Morality and Architecture*]，对其导师的研究提出了许多颇为刻薄的批评。沃特金认为佩夫斯纳夸大了“时代精神”的重要性，导致了一种狭隘的、前进式的现代主义观点，忽略了许多关键人物与重要片段，从而影响他对其他可能性的判断。然而，佩夫斯纳更为出众的学生雷纳·班汉姆[Reyner Banham]则视佩夫斯纳完全是“一位‘观测式’的历史学家”，信奉于这样一种历史，即“用普林斯顿罗伯特·麦克斯韦尔[Robert Maxwell]的话来说，是一种‘现行的修辞术'——身处此情此景，而这正是我想言说的"。

除了因条件而注定今天对其历史性的批判，佩夫斯纳所建立的——"莫里斯运动[Morris Movement]、钢构建筑的发展以及新艺术运动"——现代运动架构仍然十分明显地屹立于时间的考验之下。这个建构如此灵活贯通，在这本书的形成过程中经过多次精心且不断变化的处理，使得其难以恢复本质。佩夫斯纳在这本书的第一版序言里也交代了他的许多重要观点，这已在1933至1935年P.莫尔顿·尚德[P. Morton Shand]独立撰写并发表在《建筑评论》杂志上的一系列文章里阐明。但对于许多读者而言，《现代运动先锋》仍然以惊奇的方式将看似不相关的事物联系起来，佩夫斯纳的技巧所展现的重要形象仍然无可撼动。

《现代设计的先驱者》不可避免地带有诸多令人惊讶的遗漏之处与充满疑窦的强调之处。例如在这本书的开篇第一段，便讨论了罗斯金[Ruskin]的装饰概念，当时的学术研究与贾莱斯·吉尔伯特·斯科特[Giles Gilbert Scott]更为微妙的观点却被佩夫斯纳忽略了。同样地，他将新艺术的连续性追溯到了沃尔特·克兰[Walter Crane]似乎令人感到惊奇，这无非是个策略，为的是使这个奇妙的观点在文化保守的英国读者看来是熟悉的。佩夫斯纳的理性观点——在现代运动的主流里，几乎等同于没有装饰的表面以及清晰的块面——也可能使他对高迪[Gaudí]的倾斜柱的结构原理视而不见：心思细密，一丝不苟，使柱子与受力的方向相一致，消除了对支撑的需要，以承受由拱顶引起的侧向力。最后，一点也没有描写早期现代建筑可能被忽略了的表现主义者布鲁诺·陶特[Bruno Taut]与诗人保罗·希尔巴特[Paul Scheerbart]的圈子，他们的思想结晶展现于1914年在科隆创办的展览上所建造的玻璃宫[Glass Pavilion]。

比起文章中的这些小失误，更令现代读者感到困惑的是佩夫斯纳对于被称作"有机"的现代主义的其他传统充满敌意的表述，譬如在论及哈林[Häring]、夏隆[Scharoum]、阿尔托[Aalto]、乌松[Utzon]以及亡故的勒·柯布西耶及其追随者们时。在1960年为企鹅出版社重新修订《现代设计的先驱者》一书的文本时，佩夫斯纳借此机会表达出他感到自己"被梦想家与古怪的人围绕着"，并且痛斥"建筑师对个人表现的欲望，以及公众对惊奇与怪诞的渴求"。40多年以后，尖锐的极端个人主义的荒谬背景——现在被称为"独特风格"[signature style]——在今天许多国际大师的作品中仍然起着主导作用，佩夫斯纳支持的"格罗皮乌斯与其他先驱者的风格"将会有着新的迫切性。本书以更大的开本配以高质量的图片再版，是英国早期现代运动的首个也是不可或缺的部分，可谓无比及时。

前言：第一版

1936年5月，伦敦

这本书的大部分准备工作是在1930至1932年间完成的。1930年，我在哥廷根大学讲授一门关于“19与20世纪建筑”的课程，又在1931年的《哥廷根学术通报》[*Göttingen Gelehrte Anzeigen*]上发表了一篇短评，历数现代运动发展过程中最为重要的一批建筑师所做的贡献。

尽管如此，倘若我没有弄错，这本书应是这一主题首次的正式出版物。我深知当中疏漏众多，所以也很乐意听取任何一位读者提醒我注意当中的各种问题和失误。

直到近乎完成我的研究，我才获悉P.莫尔顿·尚德[P. Morton Shand]在1933、1934及1935年于《建筑评论》上发表的三篇十分精彩的文章。事实上，我们的结论有许多共通之处，这也进一步肯定了在本书当中所证明的观点。

十分感谢杰弗里·贝克[Geoffrey Baker]、凯瑟琳·蒙罗[Katharine Munro]与亚力克·克里夫顿-泰勒[Alec Clifton-Taylor]，他们努力帮助我删改了当中生硬的粗糙文笔。但我仍担心依然存在许多有失精准的描述，会与优良水准的英文写作明显有别。

我还要感谢我的母亲安妮·佩夫斯纳夫人[Frau Annie Pevsner]，她用休息时间将枯燥的文字稿转换成印刷稿，还要感谢理查德·德·勒·莫雷[Richard de la Mare]，他怀着巨大的热心与耐心为我处理各种排版、印刷以及插图工作。

第二版

1948年12月，伦敦

现代艺术博物馆出版的这个版本，周到地将原来总数为84幅的插图增加到137幅；我也尽量对书中文本做了改进，修订了当中所犯的失误，同时从句子到章节对有失偏颇的内容都做了各种增补与改写。我要感谢给予我各种意见和建议的菲利普·约翰逊[Philip Johnson]、小埃德加·考夫曼[Edgar Kaufman Jr.]、亨利-拉塞尔·希克科克[Henry-Russell Hitchcock]以及小艾尔弗雷德·H.巴尔[Alfred H. Barr Jr.]。还要非常感谢赫尔维恩·谢菲尔[Herwin Schaefer]，他不辞辛劳地负责从手稿到印刷的各个阶段的工作，并且不断咨询、检查与调研以令本书更为完善。

第三版

1960 年夏，伦敦

本书的第一版与第二版之间相隔了12年时间，现在出版的第三版与第二版之间也相隔了12年时间。在后面的12年时间里，我对这本书又做了更多的研究与补充。令人感到欣慰的是，我最初关注的这个研究主题能够从开始时没多少学者关注到现在受到美国和德国学界的注意，并且引发了一些英国学生的研究兴趣，写作了相关的专题论文等。当中，尤其像马德森[Madsen]、斯姆茨勒博士[Dr. Schmutzler]以及班汉姆博士[Dr. Banham]的工作，为本书提供了许多增补和选择的内容，而且我能够高兴地说，这些内容表明了本书的讨论架构依然合理。尽管如此，我依然受到一些触动而对书中某些地方进行了修订工作。从表面上看仅仅表现在两个人身上：高迪与伊利亚[Elia]。他们之前仅存在于书中脚注之内，现在则必须毫无疑问地将他们增补进正文中的关键部分。这是更新的表现。

我在写作这本书的时候，理性与功能主义建筑正在一些国家流行，而在另外一些国家则才刚刚开始兴起。毫无疑问，赖特、贾尼尔 [Garnier]、卢斯 [Loos]、贝伦斯 [Behrens]、格罗皮乌斯是世纪风格的创造者，而高迪与圣伊利亚 [Sant' Elia] 则因其奇思妙想被视作异类。现在，我们再次被这类梦幻与超常的作品所围绕，并再次对本书所探讨的此前风格的正当性提出了疑问。历史的公平性令其不可避免地呈现出一条从高迪与新艺术运动到如今的新新艺术运动线索——并且涉及在第一次世界大战后旋即兴起的表现主义，这个部分在本书早前的版本里也是只在脚注里偶然提及。但我仍然一直深信法古斯工厂 [Fagus Works] 与科隆模范工厂的艺术风格还是有价值的，即使大约在 1914 至 1955 年的两个发展巅峰之间的演变十分明显。我曾经在别的地方（1960 年企鹅出版社出版我的著作《欧洲建筑纲要》中的最后一章）也讨论过这个例子，现在我对于 1914 至 1955 年之间的发展变化的看法也应借此而有所修订。

除了受以上因素影响所做的修改之外，我还在这个第三版里或多或少地修订了七八十处的内容。当中所参考的最为重要的研究成果包括豪沃斯[Howarth]教授关于麦金托什[Mackintosh]的研究，迪恩・班尼斯特[Dean Bannister]与斯肯普顿先生[Messrs. Skempton]及约翰逊[Johnson]先生关于早期钢铁构造的研究，还有我的《盛期维多利亚设计》[*High Victorian Design*]与马修・迪格比・怀亚特[Matthew Digby Wyatt]的相关研究。意大利《建筑》[*L ' Architettura*]杂志的编辑布鲁诺・塞维[Bruno Zevi]，其《现代建筑设计史》（1950）的研究最为细致，也对我这代设计师，对赖特、霍尔塔[Horta]、霍夫曼[Hoffmann]、圣伊利亚及其他人提供了许多空间。然而，我在此有必要再次说明，书中主要的内容及核心论调并未有所修改或变更，回想本书走过的25年，对作者而言实感快慰。

1 从莫里斯到格罗皮乌斯的艺术理论

“装饰”，罗斯金称之为“建筑的核心部分”。他在其他地方又再强调这个部分能够令一座建筑“特色鲜明而更显珍贵美妙，装饰在其中不可或缺”。乔治·吉尔伯特·斯科特爵士[Sir George Gilbert Scott]在向建筑师们推荐哥特式艺术风格时又推进了罗斯金这一惊人的论点，他认为“装饰构造是其中主要的法则”。[1]

这个19世纪建筑理论的基本学说如何在实践中运用，没有比用下面的实例来说明更令人信服了。这就是由斯科特在1868至1873年间建造于伦敦怀特霍尔街的英国政府新办公室。以下的纪实内容来自乔治·斯科特爵士的描述。他原来的计划是哥特风格的。他写道：“我并不打算让我的风格成为‘意大利哥特式’；我的想法更倾向于法国哥特式，因此我对这方面做了多年的专门研究。虽然如此，我的确想从意大利方面获得一些启迪……我指的是那些一定程度上方正而水平的轮廓线……我将之……与山形墙、高顶及天窗结合起来。细节精妙绝伦，而且完全符合设计意图。”然而，斯科特在评比中并没有获胜，部分原因是帕默斯顿勋爵[Lord Palmerston]完全不欣赏中世纪的艺术风格。斯科特谈论道：“我并不因此挫败而发愁，但是当我发现在几个月以后帕默斯顿勋爵仍然冷淡地将整个竞赛结果搁置于一边，并且委托没有参与评比的彭尼索恩[Pennethorne]时，我想自己需要去尽力争取一下。”之后他去争取了，并且被任命建造一座新的建筑。尽管如此，他仍然难以劝阻政府对意大利文艺复兴风格的偏好。帕默斯顿勋爵将接下来的事情形容为哥特式风格与帕拉迪奥风格之间的竞争。在他眼里并不存在什么不能克服的困难。他请来了斯科特，据斯科特说他“被（勋爵）自信满满地告知，尽管他并不打算解除对我的任命，但他对哥特式风格无动于衷，仍然对意大利式的设计十分坚持，并且表示相信我同样能做得像其他一样好”。帕默斯顿勋爵被证明是对的，因为经过长期的争论后，斯科特答应接受“一个意大利式的设计”。但是斯科特仍然希望能够绕开文艺复兴风格。他调整了所设计的建筑的前部，如今成为“早期维也纳宫廷的拜占庭风格……带有更现代而实用的形式”。但并没有成功，因为当时的首相想要“一般的意大利式”，而且非要不可。他称这个新规划“不伦不类——就是一个杂糅”，还威逼要取消对斯科特的委任。后来，因顾及其家庭与地位，斯科特爵士“十分恼怒地”最终决定“吞

对页
威廉·莫里斯：雏菊墙纸，1861年。

威廉·莫里斯

下这颗苦果”。他“购买了一些昂贵的、有关意大利建筑的书籍，认真投入工作”，以创造一款“具有美丽外形”的意大利式建筑立面。[2]

威廉·莫里斯[William Morris]毕生为之抗争的，是直接挑战那种因为缺乏对建筑所必需的统一感而导致上述闹剧出现的可能性。当这位伦敦青年还在牛津求学的时候，几乎所有在他周围的时髦建筑，所有工业艺术都虚弱无力甚或粗拙鄙陋而且过度装饰，当时他对于建筑、美术与工业艺术已开始反映出其敏感的天资。后面我会再举例说明。对这些情况的反映是工业革命以及——虽然不为人知却也同样重要的是——自1800年始形成的美学理论。关于工业革命所发挥的影响将在本书第二章里展开探讨，在此只需用下列事实说明也就足够清楚了：当时的制造商们由于采用了新型的机器化方式，本来只能用来制作一件优良作品的成本现在可以制作出大量的廉价产品。粗劣的材料与拙劣的技术统治了整个工业领域。在齐彭代尔[Chippendale]及韦奇伍德[Wedgwood]的时代所采用的、受到尊崇的高超手工艺已被机器操作代替。来自普罗大众的需求一年年地递增，他们未受到过多少教育，要么钱多没时间，要么既没钱也没时间。

艺术家厌恶地远离这些没有文化修养与道德败坏的需求，不屈从于大多数同代人的趣味，不与“并不优美的艺术”[Arts Not Fine]为伍。在文艺复兴之时，艺术家们首先将自己视为社会上流，是伟大信息的传送者。列奥纳多·达·芬奇要求艺术家同时成为科学家与人文学者，而不是一个手工艺者。当米开朗基罗被问及为何在美第奇教堂[Medici Chapel]画了一位没胡子的美第奇成员时，他回应道：“1000年后，谁又会知道他长什么样子呢？”然而，艺术家的这种傲慢态度直到18世纪末仍然是鲜见的。席勒[Schiller]率先创造了一种艺术哲学，将艺术家视为世俗社会中高尚的传道者。谢林[Schelling]继之而起，还有科尔李奇[Coleridge]、雪莱[Shelley]与基茨[Keats]紧随其后。据雪莱所说，诗人是“不被这个世界所承认的参与者”。艺术家不再是一位工匠，不再是一位仆役，而是一位传道者。人文主义将是他的福音，甚或美，一种与真相一致的美（基茨），一种“完全能够感知得到的生命与形式相统一的”美（席勒）。在创作过程当中，艺术家让大家意识到“蕴含着自然精神的表现形式、本质以及普遍基础”（谢林）。席勒更重申“人类的尊严掌握在他们手上”，并且将艺术家比拟为王者——“他们均处于人类之巅”。如此谄媚所导致的必然后果随着19世纪的到来而越发明显。艺术家开始轻视实用性与社会大众（基茨：“哎，甜美的幻想！让她自由；所有的东西都被实用所伤害了。”）。当时，艺术家将自己与世隔绝，退居于自己神圣的小圈子以及为艺术而创造艺术、为艺术家自己而创造艺术。现在，普罗大众不明白艺术家的固执己见与明显毫无用处的言辞。无论艺术家生活得像个传道者或者波西米亚人[vie de Bohème]，都被他的同代人所嘲笑，只被小部分批评家与鉴赏家所赞同。

但是这种情况并非一直存在。中古时代的艺术家还是以作为一位极力完成所有任务的工匠为傲。莫里斯率先（在思想上并非首位，罗斯金较之更早）认识到自数世纪前的文艺复兴以来，尤其是从工业革命以来，艺术的社会根基变得摇摇欲坠、衰败不堪。莫里斯接受过成为一位建筑师以及画家的训练，最初曾到斯赛特[Street]的哥特艺术工作室，后来又进入前拉斐尔派的艺术圈子。但到1857年，他经营着伦敦的第一个工作室时，忽然明白一个人在坐下来绘制高级的图画之前，他必须能够生活在一个适宜的环境里，必须有一所得宜的房子、合适的椅子和桌子。但当时的东西都无法令他感到满意。在这种情况下，他的个人天赋忽然之间被唤醒：倘若我们未能买到结实且牢靠的家具，我们自己可以亲手打造。于是，他与朋友们开始打造“像巴巴罗莎[Barbarossa]也可能会坐的”椅子以及“像石头一样坚实”的桌子（罗塞蒂[Rossetti]）。莫里斯在为他与妻子建造的宅邸里再次进行了类似的实践，那便是位于肯特的、著名的“红屋”[Red House]。最后，在1861年，莫里斯改变了主意，不想组织一个新的艺术家兄弟会，类似于曾经的前拉斐尔派那样或者像他在牛津学习时希望建立的团体那样，他决定要创办一个企业，即“莫里斯-马歇尔-福克纳公司，暨绘画、雕刻、家具与金属艺术匠人公司”[Morris, Marshall & Faulkner, Fine Art Workmen in Painting, Caving, Furniture, and the Metals]。这件事成为开启西方艺术新时代的标志。

莫里斯工厂及其信条的基本意义清楚地反映在他于1877至1894年间所发表的有关艺术与社会问题的35篇演讲当中。[3] 他的出发点是其亲眼所见的艺术的社会条件。艺术“已经失去了其根基”。[4] 艺术家们脱离日常生活、“躲藏于希腊与意大利的梦境之中……那只有小部分人被感动或假装为此而感动而已”。[5] 这种状况必定在任何关心艺术的人看来都十分危险。莫里斯宣称：“艺术不要只为少数人服务，不应仅为少数人的教育或少数人的自由而服务。”[6] 并且，他还提出了一个伟大的、将影响当下艺术命运的问题：“倘若艺术不能由众人所分享，那我们与艺术又有何干？”[7] 至此，莫里斯真正成为20世纪的预言家。普通人的住所从此成为值得建筑师思考的对象，普通人的一把椅子、一幅墙纸或者一个花瓶从此成为值得艺术家想象的对象，我们应该把这些成就归功于莫里斯。

然而，这只是莫里斯信条的一半。他的另一半信条仍然停留于19世纪的艺术风格以及19世纪艺术的各种偏见上。莫里斯的艺术观念源自于他对中世纪劳作环境的认识，而且是19世纪“历史主义”的组成部分。对哥特式手工艺的发展，莫里斯将艺术简单地视作“人在劳作中愉悦的表达”。[8] 真正的艺术必须“由人们为人们所创造，对制作者和使用者而言都是一种快乐”。[9] 在莫里斯眼里，他对当时的所有艺术当中引以为傲的艺术天赋与灵感的一些特殊表现感到厌恶不已。他说道："这所谓的灵感毫无意义，根本没有灵感可言，只有工艺技术而已。"[10]

这种对艺术的界定显然将问题从美学带入到更为广阔的社会科学领域。在莫里斯心中，"不可能将艺术从道德、政治与宗教中分离开来"。[11] 在此，他无疑成了罗斯金忠实的追随者。而罗斯金在很大程度上受到过普金[Pugin]的影响，尽管这一事实被一再否认。普金是位杰出的设计师与理论家，他在1836至1851年期间极力支持天主教，坚持哥特式形式是唯一真正的教堂艺术形式，并且倡导虔诚与真实的设计与手工业制造。罗斯金接受了普金后一个理念而不是前面的理念。在其1849年出版的《建筑的七盏明灯》[*Seven Lamps of Architecture*]一书中，为首的一盏是献身之灯，是人以手艺向神的献礼，其次是真挚之灯。罗斯金视手作为真诚，通过手的劳动能够产生愉悦。同时，罗斯金认为这是中世纪的两个最大的奥秘所在，进而宣称中世纪较文艺复兴更为超凡脱俗。

莫里斯总体上继承了罗斯金的想法，进而双双由此走向社会主义[Socialism]的形式。倘若莫里斯能言善辩地公开指责当时的社会结构，其主要理由肯定是它对艺术来说是个致命的东西。"假如这个系统继续维持，艺术……将枯竭于文明之中。这本身便是我谴责整个社会系统的原因。"[12] 就此而言，莫里斯的社会主义与形成于19世纪后期的正常标准相距甚远：他的认识更多来自于莫尔[More]而不是马克思[Marx]。他的主要问题是：我们如何恢复到一种所有的工作都"物有所值"的状态，而同时又是"乐此不疲"的？[13] 莫里斯回首过去，而不是高瞻远瞩，回望至冰岛萨迦[Icelandic sagas]时代、大教堂时代、行会时代。人们很难从莫里斯的演讲中清晰地获得他关于未来的设想。他写道："整个社会的基础……衰败得无可救药。"[14] 进而使他有时甚至愿意"思考野蛮主义[barbarism]再一次席卷全球……如此一来也许会再次令这个世界变得美丽而有魅力"。[15] 但当其社会主义宣传产生了一些影响，同时伦敦出现了骚乱，貌似革命一触即发时，莫里斯却变得畏缩，逐渐退回到其诗与美的世界里。

这就是莫里斯的生活与学说之间的决定性的矛盾。他的工作对恢复手工艺具有建设性，而他的学说却是具有破坏性的。通过为中世纪的原始性[primitiveness]环境辩护来维护手工艺，而且首先是为破坏文艺复兴带来的文明工具而辩护。莫里斯不想要这些东西，另一方面，他不愿意其作坊采用任何中世纪以后的生产方式，因而他所有作品都价格昂贵。当时手工业生产的日常生活用品实际上全部都是借助机器制造出来的，手工艺术家[artist-craftsman]制作的产品只有一小部分人会购买。当莫里斯希望艺术"由人民所制作的同时又是为人民而制作"时，他也不得不承认那不可能是廉价的艺术，因为"所有艺术都需要花费时间、心思”。[16] 因此，他所创造的艺术——虽然现在是实用艺术而不再是19世纪的架上图绘[easel-picture]——那也只能为少数鉴赏家所接受，或许正如他的解释那样，那种艺术是“富人的可鄙的奢侈品”。[17] 无疑，莫里斯的艺术最后也通过各种贸易对商品生产产生了有利的影响，但这又是他十分厌恶的，由于其艺术风格的传播而令机器生产又再被引入其中，因而又再次抑制了“制作者的乐趣”。机器是莫里斯的死敌[arch-enemy]：“作为生活的一个条件，由机器所生产的产品是邪恶的。”[18] 向往从前的野蛮主义，莫里斯当然希望打倒机器生产，但他后来的演讲却表现得十分小心谨慎（而且前后矛盾）地承认我们应该尝试去成为“征服机器的人”，并且将它们用作“促进我们生活条件变得更美好的工具”。[19]

莫里斯对产品现代生产手段的厌恶态度在其大部分追随者当中仍然没有转变。艺术与手工艺运动复活了艺术的手工艺，而不是工业艺术。沃尔特·克兰[Walter Crane，1845—1915]和C.R.阿什比[C. R. Ashbee，1863—1943]可被视作其中的代表。沃尔特·克兰是莫里斯最为著名的追随者，坚持其老师的学说而不逾越半分。正如莫里斯一样，对他而言，“所有艺术真挚的根本与基础仰仗于手工艺”。[20] 因此，他的目标也与莫里斯的一样，“要令我们的艺术家成为工匠，我们的工匠成为艺术家”。[21] 而且，他坚持莫里斯的信念，“真挚而纯粹的艺术……是一种快乐的锻练”[22]，这种默契将他引向莫里斯浪漫的社会主义。莫里斯的学说中的矛盾冲突亦同样在沃尔特·克兰那里能看到。他也不得不承认“低廉在艺术与手工艺中几乎是不可能的”，因为“低廉作为一个标准……在成本方面只能获得……廉价的人类生活与劳动”。[23] 克兰对机器生产的态度与莫里斯也如出一辙。他不喜欢“我们这个时代那些披着玻璃板与铸铁的怪物”。[24] 罗斯金曾经率先激烈地批评过地铁站与水晶宫[Crystal Palace]——兰克则考虑到机器作为“人的仆役与帮工”或许也是必要而有用的，可以“节约劳动、繁重且耗费的劳动”。[25]

沃尔特·克兰

相对于克兰，阿什比无疑是位更有原创性的思想者与更富精力的改革者。[26] 他同样从罗斯金和莫里斯那里获得信念，对所有艺术文化而言“构成与装饰的艺术是其真正的支柱”，每件作品都应该是“在愉悦的条件下生产出来的”。[27] 因此，为平凡生活而制作的艺术不可能是低廉的，阿什比甚至在重造手工作坊与小公司的相关问题上超过了莫里斯。他在1888年建立的手工艺学校与行会[Guild and School of Handicraft]于1902年从伦敦东区迁往科茨沃尔德的奇平卡姆登。当其事业与学说在“中世纪化”[medievalist]方面的影响超过莫里斯的学说时，阿什比学说的另一个部分看起来是真正进步的。早在他创办行会时期，他对机器生产的态度与莫里斯及克兰几乎是一致的。“我们不是排斥机器，”

C. R. 阿什比

刘易斯・F. 德艾

他写道，“我们应该欢迎机器，而且希望机器能够为我们所用。”[28] 在接下去的几年里，或许部分受到行会与现代制作方式之间令人感到绝望的抗争结果的影响，他此时挣脱了他称之为罗斯金与莫里斯的“智力卢德主义”[intellectual Ludditism]。[29] 在其后的1910年出版的两本谈论艺术的书籍里，阿什比首次提出其主张：“现代文明依赖于机器，若对此缺乏认知，艺术学说的根基或本源难以维系。”[30]

在表达这一说法时，阿什比已放弃了艺术与手工艺的学说，转向采纳现代运动的一个基本信条。但就他而言只是采用，并非是他原创。其最具代表性的仍然是阿什比发起的卡姆登试验[Campden experiment]，即尝试远离现代生活复兴手工艺与农业。真正的现代运动先驱们是那些起初便支持机器艺术的人。值得一提的是两位带有承前启后性质的先驱，刘易斯・F.德艾[Lewis F. Day，1845—1910]、约翰・D.赛德宁[John D. Sedding，1837—1891]这两位与莫里斯同时代的人。德艾是当时著名的工业设计师，他宁愿活在一个真实的世界，也不愿意幻想中世纪与田园牧歌的存在。在论及未来的装饰艺术时，他曾于1882年时说道：“无论我们喜欢与否，机器与蒸汽动力以及众所周知的电气，将会在一定程度上影响未来的装饰。”他认为这将成为无可争辩的事实，因为“机器生产将被大众所广为接受……也许我们可以继续反对，认为他们的选择不够明智，但他们将对我们的想法不以为然。”[31] 而赛德宁这位也许是后期哥特复兴学派[Gothic Revivalist school]中最有原创性的教堂建筑师，他在莫里斯离开斯赛特两年后也成为斯赛特的学生，他在1892年时也提出了类似的忠告：“大家不要再以为机器生产将会停滞下来。生产组织已不可能不依赖机器为基础。我们需要清楚地认识到……现实不可抗拒，亦无法回避。”[32]

然而，这种对接受机器的犹豫不决与新一代领袖们在字里行间中对机器的热烈欢迎之间存在着极大的差异。领袖们当中无一是英国人：随着莫里斯逝世，英国的现代运动仍在准备阶段便随即骤然而止。这种首创精神当时就从英国转移到了欧洲大陆以及美国，而且经过一个短暂的过渡时期后，德国成为其引领中心。英国的作家们接受了这个事实，[33] 但几乎没人对之进行分析。其中一个原因或许是：只要新风格实际上只和富有阶层相关，英国可以为之买单。当这个问题开始影响到全部人时，别的国家就会领先，他们不会生活或未曾生活于旧时代[ancien régime]的环境之中，这些国家不接受或者不了解英国的特权阶层与偏远贫穷阶层在教育与社会上的差距。

这个新的信条最先由诗人与作家传播开来。沃尔特・魏特曼[Walt Whitman]在其诗歌以及左拉[Zola]在其小说中表现出已为巨大的现代文明与现代工业奇迹所吸引。最先为机器所折服，并且明白其重要作用以及在建筑与装饰设计中所产生影响的建筑师，其中两位来自奥地利，两位来自美国，一位来自比利时：奥托·瓦格纳[Otto Wagner，1841—1918]、阿道夫·卢斯[Adolf Loos，1870—1933]、路易斯·沙利文[Louis Sullivan，1856—1924]、弗兰克·劳埃德·赖特（1869—1959）以及亨利·范·德·威尔德[Henri van de Velde，1863—1957]。在这五人以外，还要加上一位英国人奥斯卡·王尔德[Oscar Wilde，1854—1900]，虽然他偶尔称赞机械美可能只是其惊吓中产阶级[épater le bourgeois]的诸多努力之一而已。他在1882年的一场演讲上说道："即使毫不修饰，机器都会是美丽的。不必想着如何去装饰机器。我们不得不承认，所有好的机器都是优美的，而且线条的力与美可以合二为一。"[34]

奥托·瓦格纳

范·德·威尔德、瓦格纳、卢斯以及赖特的思想绝对受到了来自英国的影响。赖特的宣言是在芝加哥的社交场所赫尔舍[Hull House]宣读的，这一建筑以托恩比社[Toynbee Hall]为原型；瓦格纳对英国工业艺术的舒适与简洁表示高度认同；[35] 卢斯直接指出："欧洲文明的中心现在是伦敦。"[36] 而且他早期的批评很大程度上是基于对维也纳奥地利博物馆[Ősterreichisches Museum in Vienna]举办的现代英国产品展览的热情推动；并且从范·德·威尔德的著作中引用一下此话："约翰·罗斯金与威廉·莫里斯的作品及其影响，无疑是使我们的思想发展壮大，唤起我们进行种种活动，以及在装饰艺术中引起全盘更新的种子。"[37]

只有路易斯·沙利文，他的《建筑中的装饰》[*Ornament in Architecture*]似乎是独立于英国的影响之外、最早宣告新风格来临的著作之一。在他居住的那个遥远的芝加哥，其城市建筑同时具有纽约与波士顿以及更远的巴黎风韵，他此时勾勒出了完全属于自己的理论，并在1901至1902年以《幼儿园谈话》[*Kindergarten Chats*]的最后形式建构起来。[38] 在其《建筑中的装饰》中，沙利文在1892年已经表明"装饰作为心理上的奢侈之物，并不是必需的"。而且，"假如我们能够在数年内完全抑制采用装饰，让我们的思想可以牢牢地专注于创造不借助于装饰而形式秀丽完美的建筑物，将可以大为提升我们的审美优势"[39]。

亨利·范·德·威尔德

我们不能确定沙利文的这个想法是否直接表达他在建筑（这些建筑将在后面的章节中做讨论）创作中的感悟，抑或是受到了相关评论家的影响，而这些评论家又陆续受到了沙利文建筑的影响。无论如何，身兼作家、记者与编辑于一身的蒙哥马利·舒勒[Montgomery Schuyler，1843—1914]在1892年出版了一本名为《美国建筑》[*American Architecture*]的书，而且当中的说法与沙利文相近："假如我们将路边建筑主墙的表面铲除，便可以轻易地改掉原来的建筑，留下比原来更好的建筑。"[40] 另一位有着类似理念的美国建筑作家是舒勒的好友拉塞尔·斯特吉斯[Russell Sturgis，1836—1909]，他在《建筑档案》[*Architectural*

Record]中写道[41]：“由于我们这一代人与上一代人的错误使用，所有已经确立的风格或多或少败坏了……简而言之，过去的风格并不适合我们，我们不得不避而远之……倘若在一段时间内建筑师被允许建造非常单纯的建筑，事情将会更好……倘若建筑师能回归到将建造、结构、材料处理作为建筑效果的唯一来源，一种新的、有价值的风格就会形成。”[42]

对外表毫不装饰的认可在英国也并不新鲜。1889年，克兰已经说过：“单纯的材料与表面相较于缺乏结构又不得体的装饰更为完美。”[43] 而且在沙利文之后，查尔斯·F.安斯利·沃伊齐[Charles F. Annesley Voysey]也写道：“要将一堆无用的装饰一扫而空。”[44] 但正如沃伊齐那样，在其种种见解之外，他曾经是从莫里斯到20世纪之间的装饰变革过程中的代表人物之一，沙利文事实上既是一位采用朴素无华的建筑立面的革命者，又是一位装饰艺术的革新者。他在1892年的同一篇文章中声称：“‘有机的装饰’[organic ornament]应该随着消除所有装饰的来临而登场。”

路易斯·沙利文

沙利文自己的装饰母题属于所谓新艺术的类型。范·德·威尔德也是，在其1893至1900年之间的演讲里[45]，他——独立且毫不犹豫地——宣称在装饰类型方面同样相信能够“通过纯粹结构的形式……”抽象地表达“欢乐、困乏、保护等感情”[46]，而且相信机器可以促使获得一种新的优美。范·德·威尔德指出，大量的英国艺术与手工艺仍然是极度敏锐的艺术家为敏锐的鉴赏家所制的消遣之作，因而它们不比于斯曼[Huysmans]精致而奢靡的写作更为健康。他将其衍生于机器美学的新学说与莫里斯那种未曾中断回溯哥特时代的艺术相对比。他声称：“美一旦指挥了机器的铁臂，这些铁臂有力地挥舞便能够创造美。”[47] 这一断言诞生于1894年。六年以后，范·德·威尔德更清晰地补充道：“为何用石板建造宫殿的艺术家会高于那些用金属材料来建造它们的艺术家呢？”[48] “工程师们已处在新风格的门槛上。”[49] 工程师们就是“今天的建筑师们”。[40] 我们要求“产品结构合理，材料使用得当，制作过程直接而清晰”。[51] 可以预见，铁、钢、铝、油毡、赛璐珞、水泥大有前景。[52] 对于家庭用品的外表，范·德·威尔德认为其“丧失了生动、强烈、明净的色彩感觉，以及活泼、结实的形式与合理的结构”。[53] 而且对新的英国家具“逐步地消除装饰”予以高度赞赏。[54]

这也恰好是阿道夫·卢斯的信条。他曾接受过作为建筑师的训练，最初在德累斯顿，其后是在美国。[55] 1896年他回到维也纳，看到维也纳最为进步的建筑师奥托·瓦格纳新出版的一本小书。[56] 这本书以瓦格纳在艺术学院的就职演讲为基础写作而成，当中的学说有许多方面与范·德·威尔德相仿。“现代生活是艺术家创作的唯一起点。”[57] “所有现代的形式必须协调于……我们现在新的需要。”[58] “不能付诸实践的虚无之物难以成就美。”[59] 因此，瓦格纳预见了一个

“即将来临的盛景”[60]，而且，更令人感到惊奇的是，他指明了未来风格的几个特征：“例如古代曾经流行的水平线条，像桌面一样水平的屋顶，非常简约，一个充满活力的结构与材料展览。”[61]无须赘言，他对钢铁也喜爱有加。

阿道夫·卢斯最初在1897与1898年为报纸与杂志写文章[62]，抨击当时在维也纳如日中天的所谓分离派[Sezession]的新艺术风格，他指出：“人民越放宽标准，其装饰便越加泛滥。发现形式中的美取代装饰中的美是获得和谐的目标。”[63]一件独立的艺术作品中纯粹的美，对于卢斯来说“事关各个相互联系的部分所获得的效用与和谐程度”。[64]他认为工程师们因此可视之为“我们的古希腊人。从他们那儿发掘我们的文化”。[65]而且，他一直坚称堵漏工（美国情景中普遍使用的称呼）为“决定今天文化的那类文化的舵手”[66]。

阿道夫·卢斯

仅数年以后，带有相当强烈信念的类似观点通过沙利文的学生弗兰克·劳埃德·赖特1901年的宣言《机器的艺术与手工艺》[*The Art and Craft of the Machine*]以更明了、更凌厉的方式表达出来。[67]这篇文章开始便直接歌颂我们正处于“钢与蒸汽的时代……机器的时代，其中机车引擎、工业发动机、发电机、战争武器或蒸汽轮船取代了过去历史上艺术作品的位置”。[68]赖特热情地称赞新的、具有“简约而轻巧”韵律的未来建筑，那儿——令人感到惊奇地预言——“空间更为宽敞，而且无论是进入到任何或大或小的建筑都有此感觉”[69]。在这样一个时代，画家或者诗人不再那么重要。“今天，我们有科学家或发明家取代莎士比亚或但丁了。”[70]

但是，赖特所说的今天指的是可以且应该如此的20世纪，而不是1901年的时候可以如此。据赖特所说，机器做了许多糟糕的东西，这并非机器的过失，而是设计师的过错。因为“机器有着各种优异的可能性，并不情愿地被迫堕入到……艺术自身的不堪当中”。[71]因而，在艺术家一直以来与机器之间的这场抗争中毫无疑问已明白谁是胜利者了。机器是一股“势不可挡的力量”，将会骤然挫败“手工匠人以及累赘的艺术家”。[72]这听起来是对莫里斯的蓄意挑战，他认为：“若此机制得以持续，艺术将枯竭于文明之外。对我而言，这本身带有我对整个机制的谴责。”而弗兰克·劳埃德·赖特却在黑夜中看到芝加哥拔地而起的（建筑）轮廓与灯光时惊呼：“假若这种力量为了文明的存续而被连根拔起，那文明也将灭亡消失。”[73]赖特是如此坚信机器，以致他预料谦逊地向机器学习将有可能成为手工匠人的救星。他说：“正确地使用那祸害手工艺的机器，可以让艺术家们挣脱奇技淫巧与雕虫小技的诱惑，并且结束艺术家疲于让东西看起来巧夺天工的竞争。”[74]

所以，赖特在1901年的态度与今天关注于未来艺术与建筑的进步思想家们的态度基本相同。然而，这一理论在美国依然长期备受冷落。而且，不可争

弗兰克·劳埃德·赖特

辩的事实是，大部分欧洲国家也是如此，那些呼吁世纪新风的人在第一次世界大战以前对此亦无甚回应。例如，维欧勒-勒-杜克[Viollet-le-Duc]的学生安托尔·德·波特[Anatole de Baudot]，他早在1889年说过："很久以前，建筑师的影响就开始衰落，而现在卓越[l' homme moderne par excellence]的工程师开始取而代之。"[75] 荷兰的亨德里克·佩特吕斯·贝拉赫[H. P. Berlage，1856—1934]亦是如此，他在1895年与1889年的两篇文章里劝告建筑师在做建筑设计时不要考虑风格类型。他说，只有如此才能够创造出与中世纪相提并论的、视建筑为一种"纯粹的实用艺术"的建筑来。[76] 他将这类建筑设想为"20世纪的艺术"，而且应该指出，对他而言那是一个属于社会主义的世纪。[77]

不可否认，为推动这些新思想而进行的规模广泛的运动，应归功于德国的建筑师与作家们。由他们所孕育的这场运动被证明强劲地催生了一种关于思想与建筑的万能风格，而不是那种仅仅关乎一小撮人的革新言论与行动。

在19世纪90年代的英国与德国风格之间扮演着联结角色的是霍尔曼·穆特修斯[Hermann Muthesius，1861—1927]，他自1896至1903年期间服务于德国驻伦敦大使馆，从事英国建筑的研究。由于新艺术已经很难转移英国国内建筑的声势及其缓慢而牢固的变革过程，穆特修斯回归为一位在建筑与艺术上理性而纯粹的坚定拥护者。随后，他被公认为引领"Sachlichkeit"（客观）新趋势的领袖，这个趋势在德国的新艺术短暂兴盛后出现。"Sachlich"一词难以翻译，同时具有恰当、切实以及客观的意思，成为日益发展的现代运动口号。[78] "理性的客观性"[Reasonable Sachlichkeit]是穆特修斯称赞英国建筑与手工艺的地方，[79] "完美而且纯实用"是他对现代艺术家的要求。而且，既然今天"按照时代的经济特性生产"只由机器制造的物品，"机器风格"[Maschinenstil]就可以单独成为探讨这种新风格的创造问题之所在。[80] 如果我们想看到这种新风格的表现，我们可以去看看"火车站、展览厅、桥梁、蒸汽轮船等。我们面对着一个剧烈而且几近于科学的'客观性'，禁止所有外表的装饰，并且完全按照所服务的方式来支配其形状"。进而可以想象，将来的发展方向只有沿着严格的"客观性"方向发展，而且不再采用所有"附加"的装饰。由此思路进行创造的应用性的建筑或物品，将会展现出"一种起源自适宜与……简洁的一种灵巧的优雅"。[81]

穆特修斯宣传的这些思想，对德国而言仍然比较陌生，他迅速成为一个志趣相投的团体的核心。其中最重要的是，艺术史家兼汉堡美术馆[Hamburg Gallery]馆长阿尔法特·里希瓦克[Alfred Lichtwark，1852—1914]在听取他有关资产阶级[bourgcoisie]的演讲与阅读其宣传册子后，成为其思想的传播者。他是一位富有天分的教师，满腔热情地专注于教育事业。自20世纪初，德国中小学校的艺术教育获得了广泛而迅速的发展，这应该归功于里希瓦克的努力。他对“客观性”运动的促进甚至比穆特修斯还要早开始。他在1896至1899年间发表的演讲，在英国受到高度赞扬，他呼吁为家庭主妇们提供“平整、光滑、轻巧造型”的实用而朴素的家具，呼吁“客观美”[*sachliche Schönheit*]、宽阔的横向窗户、泛光灯及室内鲜花。[82] 这场运动自此迅速开始得到了众多人物的推崇，并在不同文化领域展开，其核心就是对简单和诚实的渴求。建筑师保罗·舒尔茨·鲁伯格[Paul Schultze-Naumburg，1869—1949]自1901年开始出版其《文化作品》[*Kulturarbeiten*]丛书，第一本便是关于住宅建筑设计的。1903年，费迪南德·亚斐纳里斯[Ferdinand Avenarius，1856—1923]创立文学顾问协会[Dürerbund]，并且在1904年创办国土安全委员会[Heimatschutz]，这是一个大致上接近英国乡村保护社团[Society for the Protection of Rural England]的团体。它是一个保守的、回溯过去而不是激励的、面向明天的团体，这更接近于莫里斯而非穆特修斯的思想。此外，另有一些德国人支持穆特修斯，他们出乎意料地出现在他的阵营当中，这里只需引用其中三位：霍尔曼·奥布里斯特[Hermann Obrist]，德国新艺术运动中最富创造力的艺术家之一；威廉·谢弗[Wilhelm Schäfer]，一位著名的作家与诗人；弗里德里希·鲁曼[Friedrich Nauman]，一位在德国“一战”前后社会改革与民主发展方面举足轻重的政治家。奥布里斯特在1903年有关蒸汽轮船的描写中提到：“美蕴藏于其巨大又朴拙且充满力量的外形当中……它们非常实用，规整、光滑且闪亮。”看到轮船的轮机舱时，让他感到“近乎陶醉”。[83] 威廉·谢弗态度鲜明地倡导全部形式应当“实事求是”[*sachliche Ausbildung*]；这将必定引导所有产品迈向现代风格，就像机器与铁桥那样。[84] 至于弗里德里希·鲁曼，他主要对建筑与艺术的社会影响感兴趣。这导致他很早便对机器赞赏有加。正如穆特修斯一样，鲁曼无疑受到其极大的影响，他认为“船舶、桥梁、贮气罐、火车站、商场”都是我们的“新建筑”。他称钢铁建筑为“我们时代最伟大的艺术实践”，因为“这在结构上没有采用什么艺术，没有沉迷于装饰，毫不矫揉。这是实用的创造……这难以描述。我们所有关于空间、重量与承托的概念都被改变了”。[85]

鲁曼的密友卡尔·斯密特[Karl Schmidt，1873—1948]是一位训练有素的家具匠，1898年他在德累斯顿开设了一家家具作坊。[86] 他的作坊自开始时便聘请现代建筑师和艺术家作为设计师。斯密特开始受到了英国艺术与手工艺运动（他曾作为访客游历英国）的影响，但其主要兴趣很快转向了廉价的并且是机器生产的产品。早在1899至1900年，德意志工场[Deutsche Werkstätten]在德累斯顿举办的一个工业艺术展览上，展示了一套带两间起居室、卧室、厨房而仅需40英镑的套间。而在1905至1906年，在德累斯顿举办的另一个展览上，展出了他们生产的首件机器制作的家具，这件家具由斯密特的堂弟理查德·李默斯密特[Richard

霍尔曼·穆特修斯

Riemerschmid，1868—1957]设计。[87] 同年，他们在其产品目录上自诩要“发展源自机器精神的家具风格”。这在当时较我们今天看到的更具有革命性。当时，在德国以外很难列举出有哪些杰出的艺术家或建筑师不再做装饰艺术而投身工业设计，大概只有英国的印刷业例外，像多弗斯出版社[Doves Press]那样只为多数人服务，转向服务大众的市场。1912年是个重要的年份，J.H.梅森[J. H. Mason]在这一年将印式[Imprint type]介绍到蒙纳拓印公司[Monotype Corporation]。德意志工场很快便目标更为明确地转向另一个问题：部件的标准化。他们的第一件“组合”[Unit]家具“类型”[Typenmöbel]在1910年展出，其命名在英国变得十分流行。这个想法来自于美国，当时美国已经以此来称呼书橱的设计了。[88]

德意志制造联盟[Deutscher Werkbund]的成立成为从个人实验走向一种共同承认的风格迈出的最为重要的一步。1907年，穆特修斯在负责艺术与手工艺学校的普鲁士贸易局局长[Superintendent of the Prussian Board of Trade for Schools of Arts and Crafts]时，发表了一个公开演说，以毫不讳言的方式告诫德国的手工艺与工业不要继续模仿从前老旧的形式。这个演说引发了一场愤对贸易协会的风暴。还未到1907年的年底，争论已变得越来越激烈，大量进步的手工业商联合一些建筑师、艺术家以及作家，整合他们的想法建立起一个新的协会，称之为联盟[Werkbund]，其目的是要“选出最具代表性的艺术、工业、手工艺以及产销，联结所有力量以获得更优质的工业产品，为那些能够而且愿意为高质量进行工作的人们形成一个团结中心”。[89] 作为这个团体的核心思想，“质量”[Qualität]被认定为“不只是优秀坚牢的作品，毫无瑕疵、真材实料，而且达到有机化的，完全表达出符合‘实际’的、可贵的，并且，倘若你愿意接受的话，还有诸如艺术性等方面”。[90] 这一界定清楚地表明德意志制造联盟从一开始在任何一方面都不反对机器生产。在其第一次年会上，建筑师特奥多尔·费舍尔[Theodor Fischer]在其就职演讲里说：“在工具与机器之间并没有明确的边界线。当人掌握了机器并将之作为工具，便能够制作出高标准的作品……粗制滥造并非机器本身的问题，而是我们不能很好地利用它们。”而且，同样地“批量化生产与劳动分工并不具致命性，工业实际上无视了它的目标是高质量的产品生产，以为还处于统治者地位而并没有认识到自身是为社会服务的成员之一”。[91]

在1915年的时候，英国受到了德意志制造联盟的启发，建立起设计与工业协会[Design and Industries Association]，这个团体在其首个出版物上公开表明“适当地接纳机器，并辅以引导及控制，而不是全然的抵制”[92]。虽然创办了设计与工业协会[D. I. A.]，但并非只有英国最早受到德意志制造联盟的影响。欧洲大陆的其他国家也在第一次世界大战前效法德国：奥地利制造联盟[Austrian Werkbund]在1910年建立，瑞士（制造联盟）则创建于1903年，而瑞典工艺协会

[Swedish Slöjdsforening]则在1910与1907年之间逐渐改组成制造联盟。

就德国自身来说，这个具有雄心壮志、不屈不挠的团体致力于扩大现代运动的思想。但德意志制造联盟并非唯一的中心。更令人感到惊奇的是，德国的艺术学校抛弃了19世纪的路线而采取了新的路线。新的负责人与新教师普遍得到了任命。在普鲁士，穆特修斯尽到了自己的责任。他让彼得·贝伦斯[Peter Behrens]到杜塞尔多夫、珀尔齐希[Poelzig]到布莱斯劳，他们二人担任该地的艺术学院主管。在此以前，约瑟夫·霍夫曼[Josef Hoffmann]已是维也纳艺术与手工艺学院[Viennese School of Arts and Crafts]的建筑学教授，而范·德·威尔德则是魏玛艺术学校[Weimar Art School]的负责人。1907年，柏林艺术与手工艺学校[Berlin School of Arts and Crafts]也找到了布鲁诺·保罗[Bruno Paul]这位进步人物作为其领导。[93]

尽管如此，这些学校以及德意志制造联盟的进步精神，当中最为重要的问题仍然未能解决，这也是本章主要关注的问题。即使机器艺术作为手工艺以外的艺术表达之一现在得以被接受，未来应强调什么地方？这个问题在1914年科隆举办的德意志制造联盟年会上率先被清楚明白地展开讨论。穆特修斯支持标准化[standardization]（*Typisierung*），范·德·威尔德支持个性化[individualism]。穆特修斯说："建筑以及德意志制造联盟的整体活动范围倾向于标准化。只有通过标准化才能让他们恢复在和谐文明时代所拥有过的普遍重要性。只有通过标准化……将力量有效地集中于一起，方可引入一股能大致被接受的、可靠的趣味。"范·德·威尔德回应道："只要制造联盟中还有艺术家……他们将对抗任何既定的原则和规范。艺术家本质上贴近于一位富有热情的个人主义者、一位天生的创造者。他终将不会顺从于规范，以其自由意志使之符合某种准则、规则。"[94]

与范·德·威尔德呼吁个人主义一样，首位呼吁机器的动因以及对机器时代新建筑有着共同兴趣的是意大利未来主义者[Italian Futurists]、天赋非凡的年青建筑师安东尼奥·圣伊利亚[Antonio Sant'Elia，1888—1917]，他至死也未有机会按照自己的思想、言论和绘画建造建筑。[95] 圣伊利亚在《信息》[*Messaggio*]中对"新居"[*casa nuova*]作如下设想："只能根据现代生活的特殊条件，以及对所有学科与技术资源的热爱来建构并决定其新的形式、新的线条、新的'存在理由'[*raison d'être*]……对材料可靠性的计算、使用结实的混凝土与钢铁以颠覆对建筑的传统认知。"假如他们尝试以更轻薄的混凝土结构建造极为弯曲的拱以及极为接近大理石的质感，那建筑肯定是奇形怪状的。今天的任务并不是建造大教堂，而是酒店、火车站、公路、商场以及替代贫民区的高楼。"我们必须要建设'更新'[*ex novo*]的现代城市"……一个在建筑的地下地上均有着“喧嚣街道”的城镇。住宅的美化不仅仅是小型的装饰线及柱头的美化，而且要从大量的归类及规划安排上加以美化。以“混凝土、玻璃、钢铁，而不是绘画或雕塑”来建设，它必然“类似于一座巨大的机器”，升降机应该安装在建筑外部，冷静计算与大胆勇敢必然得以合力，其结果将不会是“将实践与效果枯燥地结合在一起，而仍然是艺术，这是艺术的表现”。

这一旨要最早出现在1914年5月米兰举办的“新趋势”[*Nuove Tendenze*]展览的图录上。两个月后，未来主义的宣言领袖马里奈蒂[Marinetti]将之作为1914年7月所发表的《现代建筑宣言》[*Manifesto of Modern Architecture*]的核心。他还加进了圣伊利亚并不认同的部分，但极有可能，马里奈蒂在1909年所发表的《未来主义宣言》[*Futurist Manifesto*]里对摩托车的专业信仰（“我们的手按在了他们燃烧的胸膛上”）以及“庞大的人口、现代的都市、晚上的工厂与船坞、火车站、轮船、飞机”，仍然对圣伊利亚关于未来城市的思考有所启发，[96] 我们将在第七章里再述圣伊里亚对建筑的非凡设想。

当与那些认同穆特修斯的德国建筑师们，特别是彼得·贝伦斯与沃尔特·格罗皮乌斯等人的“客观性”作品相比较，这些于1913至1914年间提出的设想的不切实际的特性是显而易见的。他们在1909至1914年间的建筑将从本书后面的插图中看到，他们主要的目标实际上是要印证一种新风格，一种纯粹且真正是我们这个世纪的风格，至1914年得以实现。莫里斯曾经发动了恢复手工艺的运动，将手工艺视作为人类最值得投入的艺术，1900年前后的先驱者们则因发现机器艺术巨大且未知的可能性而走得更远。而在创作与理论上综合起来的是沃尔特·格罗皮乌斯（生于1883年）的作品。1909年，格罗皮乌斯制定了一个关于标准化与大众化生产微型住宅的备忘录，并且提出了对筹措建造这些建筑所需资金的可行方案。[97] 1914年底，他开始了重组魏玛艺术学校的计划，并且选定萨克森–魏玛公国的大公[the Grand Duke of Saxe-Weimar]担任学校的负责人。[98] 1919年，这所结合了艺术学院以及艺术与手工艺学校在一起的新学校诞生了。它的名字便是国立包豪斯[Stastliches Bauhaus]，在往后的十多年里，它成为欧洲创造力最为重要的中心。与此同时，它也是手工艺与标准化生产的实验室；是一所学校也是一座作坊。在一种令人钦佩的团体精神下，将建筑师、工艺家、抽象画家组织起来，共同为建筑的新精神而工作。建筑对于格罗皮乌斯而言是一个具有广泛意义的词语。所有的艺术，只要它是正常而健康的，就能为建筑服务。[99] 因而，包豪斯的所有学生都接受学徒式训练，在其课程结束时都要能独立操作，而且只有这样才会被允许进入到实验设计的建筑工场与工作室。[100]

格罗皮乌斯将自己视作罗斯金与莫里斯的、范·德·威尔德以及德意志制造联盟的追随者。[101] 至此，我们完成了这一轮探讨。自1890年至第一次世界大战期间的艺术理论史证明了此番讨论所依据的主张，即在莫里斯与格罗皮乌斯之间有一个历史间隔。莫里斯奠定了现代风格的基础，其特色最终经由格罗皮乌斯得以确定。艺术史家们将和谐完美的“早期哥特式”形成之前称之为“过渡（时期）”[Transitional]。当罗马式建筑仍然残存于整个法国的时候，圣丹尼斯教堂[St. Denis]的大师将其回廊及东堂设计成全新的风格，由此而起的风格在紧接下来的60或80年里全面扩散开来。这位大师在12世纪中叶以前为法国所做到的，莫里斯及其后继者们在20世纪初也为这个世界做到了，这些后继者包括了沃伊齐、范·德·威尔德、麦金托什、赖特、卢斯、贝伦斯、格罗皮乌斯等以及其他将在后面章节描述到的建筑师及艺术家们。

沃尔特·格罗皮乌斯

约翰·罗斯金

约翰·罗斯金（1819—1900），其富有的父母对这位家中独子宠爱有加，他很早便成为一位才华横溢的作家、思想家以及社会改革者。他是前拉斐尔兄弟会[Pre-raphaelite Brotherhood]的早期拥护者，其《现代画家》[*Modern Painters*]一书宣扬的“忠实于自然”[fidelity to nature]理论对前拉斐尔派的成员们影响深远。1848年，他与尤菲米娅（埃菲）·格雷[Euphemia （Effie） Gray]的婚姻在众多流言蜚语中宣告无效，尤菲米娅其后嫁给了前拉斐尔兄弟会的画家约翰·米莱斯[John Millais]。1949年，罗斯金影响广泛的《建筑的七盏明灯》一书出版——书中呼吁艺术创造中的个性——启发了一整代的建筑师与设计师；他接下来的另一本书，《威尼斯之石》[*The Stones of Venice*]，佩夫斯纳认为该书对促进威廉·莫里斯的工作产生了“主要影响”[mainspring]。罗斯金坚持“教导品味就是造就特色”，而且他在哲学思想与道德精神上予艺术与手工艺运动以启迪。尽管圣乔治手工艺行会[the Guild of St. George]作为罗斯金乌托邦式的实验失败了，但他的思想依然有力地支撑着处在大西洋两岸的艺术与手工艺运动，他对于工业化以及工人教育方面的观点为英国的工人运动打下基础。他在1870年时成为牛津大学斯莱德[Slade]美术教授，1878年第一次罹患精神崩溃，1900年于布兰特伍德湖区的家中逝世。

对页
罗斯金：阿格斯蒂尼宫，比萨，1845年。

下图
威廉·科林伍德：约翰·罗斯金正在布兰特伍德从事研究工作，剑桥，1882年。

威廉·莫里斯

左上图
莫里斯：金百合墙纸图案，1897年。

右上图
莫里斯：叶饰墙纸图案，1875年。

理所当然地，佩夫斯纳将威廉·莫里斯（1834—1896）作为此书开头讨论有关优雅曲线的不同观点时最先介绍的人物，既是其富裕父母的第三个孩子，又是家中长子的莫理斯，逐步成为有史以来最为重要的先锋艺术设计师之一。尽管他早期的思想方法还不十分清晰。莫里斯曾经在马尔伯勒学院[Marlborough College]学习，在那里他爱上了自然风景与中世纪的建筑，并在牛津的埃克塞特学院[Exeter College, Oxford]结识爱德华·伯恩–琼斯[Edward Burne-Jones]，他们成了终生的朋友。因为建筑，他放弃了就圣职的计划，而在遇到了但丁·加百利·罗塞蒂[Dante Gabriel Rossetti]后，他又为了艺术放弃了建筑。1856年，他出版了第一卷诗集，《格温纳维尔的辩护》[*The Defence of Guenevere*]，并且在两年后与前拉斐尔派美丽“迷人”的珍妮·伯顿[Jane Burden]成婚。莫里斯与韦伯[Webb]合作设计了位于厄普顿肯特的红屋，并且他因为替其“艺术宫殿”[Palace of Art]遍寻不到适合的装饰，从而直接导致他在1861年创办莫里斯-马歇尔-福克纳公司（被称为“公司”）。莫里斯擅于图案创作——通常以自然或中世纪世界作为描绘主题——而且他的墙纸、绣帷以及织物设计当中有些历久常新而又漂亮的作品在艺术与手工艺运动的旗帜下被生产出来，莫里斯因此成为艺术与手工艺运动之父。他继续写诗——冰岛的旅程启发了其长篇传奇——丁尼生[Tennyson]去世后他获得了桂冠诗人这一称号，但此时他的兴趣已转往政治、文物保护以及社会改革。他在1877年创建了古代建筑保护协会[Society for the Preservation of Ancient Buildings]，1884年成立社会主义金匠联盟[Hammersmith Socialist League]，而且在其余生里，通过凯尔姆斯科特出版社[Kelmscott Press]引领印刷技术的复兴。

上图
莫里斯：彩色玻璃，国王勒内的蜜月系列，1862年。

下图
莫里斯：橱柜，国王勒内的蜜月系列，1862年。

艺术与手工艺运动

19世纪晚期，英国一批艺术家与社会改革者受到威廉·莫里斯与约翰·罗斯金的启迪，发展起“艺术与手工艺运动”，以探讨抑制维多利亚时代大规模生产的趋势，其支持者认为这导致工人地位不保和“假冒伪劣制品”的产生。这场运动利用中世纪时期的风格与样式——当时的教堂、家具、服装以及关键的中世纪工匠行会——而且其目标在于重新界定艺术与工艺的角色，恢复劳动者的尊严，提升并拔高工匠（地位），为妇女创造机会，并且落实社会改革。若要严格地看，这场运动最为浪漫热情的地方是它提供了一个就像威廉·莫里斯在其乌托邦小说《乌有乡消息》[*News from Nowhere*]中所描绘的完美生活模式，并且通过奇平卡姆登的查尔斯·阿什比及其他人付诸实践。线条的简约、功能的效用以及民族自豪感的盛行造就了这场运动（体现了热爱自然与英国传统文化的典型）中“真诚”的基本特征，使其吸引了许多对快速工业化不抱任何幻想的人，可以感受到它在欧洲——同时在社会与审美方面——发挥着影响，这场运动的思想在欧洲传播，随后又传回英国并且得到进一步的丰富与发展，同时也在美国得到有力的支持，虽然他们经常使用机器。

上图
阿什比：银托玻璃水瓶，约1904至1905年。

右图
阿什比：夏纳步街37号的餐室内，切尔西，约1894年。

对页
克兰：天鹅、灯芯草与鸢尾花墙纸图案，1875年。

德意志制造联盟

德意志制造联盟，一个由建筑师、工匠、教师以及工业家组成的团体，由霍尔曼·穆特修斯、弗里德里希·鲁曼以及亨利·范·德·威尔德于1907年创建于慕尼黑，他们与英国艺术与手工艺运动共享着某些相同的价值观念——忠实于材料以及制作过程、尊崇工艺标准与设计理念——但他们将之应用到机器生产以致力于改革工业设计。德意志制造联盟承认不仅仅是手工艺需要设计，批量生产更是，因而联盟的成员关注于改善产品的本质，他们认为“机器制作通过适当处理也可以很美”。他们所生产的家具带有简洁的线条、纯朴的造型以及对基本实用性的考虑，所以具有极高的辨识度。他们愿意接受工业化与利用机器，标志着英国与欧洲艺术与手工艺设计师在本质上的差别。德意志制造联盟的成员们仍然强调恢复尊重劳动的必要，但联盟却并不反对机器。他们共享着艺术与手工艺运动始创者们的社会设想，但却背弃了过去，抵制19世纪后期为艺术而艺术[*I'art pour I'aart*]的哲学，开始创造一种新的装饰以及适应机器时代的艺术风格。

右图
建筑师布鲁诺·陶特：玻璃房前立面，德意志制造联盟展览，科隆，1914年。

对页
德意志制造联盟海报，1914年。

DEUTSCHE WERKBUND-
AUSSTELLUNG
KUNST IN HANDWERK,
INDUSTRIE UND HANDEL · ARCHITEKTUR
MAI
CÖLN 1914
OCT.
A. MOLLING & COMP. K-G. HANNOVER-BERLIN.

2 从1851年到莫里斯以及艺术与手工艺运动

1850年左右，一种庸俗而又自满的乐观主义情绪盛行于英国。当时英国由于工厂主和商人们的努力经营，比以往任何时候都要富裕。在一位代表资产阶级[*bourgeois*]的女王及其能干的丈夫的统治下，英国成为世界工厂与资产阶级的乐土。乐善好施、虔诚礼拜、宣扬道德或许可以让人的良心与上帝相协调——总而言之，生活在这样一个快速进步且注重实际的时代是幸运的。

此前从没有人想到过能够举办一个汇聚来自世界各地的原材料与技术产品的展览会。这个计划在阿尔伯特亲王[Prince Albert]的大力支持下，在1851年时得以辉煌地付诸现实。[1] 在筹备与安排这个展览的过程里，阿尔伯特及其同辈人都处在了当时涌现的乐观主义浪潮之中。

阿尔伯特在一次筹备发言中说道："任何关注这个时代独特性的人都毫不怀疑，我们生活在一个十分精彩的转变时期，正快速地迈向历史所指示的伟大端点，即实现人类的团结。"在同一段讲话当中，他赞扬"劳动分工的伟大原则，这可能便是所谓文明的进步力量"[2]，并且介绍了在展览官方图录上提及的主张："举办像这个展览这样的活动在过去任何时代都不可能发生，或许除了我们以外其他人也不可能办到。"确实不可能，那些写作这些台词的人明白当中的原因，并且十分坦白地表明当中"对于财富的完美守护"以及"商业的自由"。[3] 成千上万进入展览参观的游客很可能都有着类似的感受。观众以及建筑的规模还有产品的数量是如此可观。

而展品的美学质量却是令人感到厌恶的。敏锐的参观者都认识到这点，并且在英国以及其他国家很快便展开了讨论，探讨导致其明显失败的原因。列举几个原因对今天的我们来说轻而易举，但对当时处在前所未遇的科技发展环境中的那一代人而言，事实上是困难的。当时新颖的铁路与动力纺织机，还有几乎使任何物品生产起来非常方便的各种最精巧的发明，而在过去是由工匠花费艰苦的劳动才能做出来的——但为何这些绝妙的改进并未能促进艺术的进步呢？

其结果却是：帕多·胡曼工厂[Pardoe, Hoomans & Pardoe]的专利花绒挂毯（见38页插图），无论怎么看都不舒服。你看到极为复杂的图案，也许是对源自于对罗可可时期工匠的那种想象力与熟练技艺的崇拜。现在已由机器来代劳，看起来却是这个样子。18世纪的装饰或许影响到设计师，粗糙以及拥挤的部分是

对页
莫里斯：汉默史密斯地毯设计，约1880年。

1851年大展的地毯局部。

他本能地加上去的，然而他完全忽视了总体装饰的基本要求，而且这种要求在地毯装饰方面尤其突出。我们被迫踩在了填满涡卷形且又大又压抑的、逼真的花卉装饰上；令人难以置信的是，它将波斯地毯教予我们的东西忘记得一干二净。而且，这种野蛮风格并不只限于英国。其他国家的展示同样充斥着这种劣行。在法国展厅[French section]展出的一款由E. 哈特尼克[E. Hartneck]设计的丝绸披肩（如图），将风格化与现实主义混合在一起，其不协调的程度基本上类似于英国地毯。反映出对图案设计基本要求以及装饰表面的完整性一无所知，而且在细节处理方面也一样庸俗。这不仅是机器将工业产品中的趣味消灭了；至1850年，它似乎还不可救药地毒害了幸存下来的工匠。这便是为什么我们对于诸如手工制作的盛水器、酒杯、罐等银器感到特别愤愤不平的原因。为何在18世纪期间没有工匠制作如此繁缛、如此夸张的产品？可以肯定这种对比是真实的而并非是我们这代人简单的臆想。艺术家对于纯粹形式的美、纯正的材料、纯真的装饰图案的无动于衷，是荒谬的。

再次提出这个问题：为何发生这种情况？通常的回答——由于工业的发展以及机器的发明——这是正确的，但以此照说就未免过于表面化了。陶工的轮车是一台机器，手动织机以及印刷工的印刷机也是机器，诸如此类简单的机器设备发展成为现代奇妙的机器是符合逻辑的、循序渐进的。那么，为何机器最终变成了艺术的灾难？大约在18世纪末，应用艺术从中世纪过渡到现代状态。1760年以后，技术的进步开始突飞猛进。这无疑是因为随着宗教改革[Reformation]而开始了思想上深刻的改变。理性主义[Rationalism]、归纳哲学[inductive philosophy]、经验科学[experimental science]是欧洲理性时代[Age of Reason]

1851年大展上的披肩。

具有决定性的活动领域，甚至连宗教的复兴也具有强烈的理性主义成分，并且标志着对世俗事物以及日常生活道德品质的理解。

欧洲思想的改变伴随着社会观念的变化。因此，最新出现的发明创造也同样有着一个新的实践范围。应用科学作为管理世界的一种方式，迅速成为直接对抗中世纪统治阶层的组成部分。工业意味着中产阶级与教会及贵族之间的对立。法国大革命实现了已经缓慢酝酿了超过两个世纪之久的变化。中世纪的社会系统已荡然无存，而具有文化又有闲情逸致的赞助人阶层，以及受过教育且经过行会训练的工匠阶层也随之不复存在。更为巧合的是，在法国的行会（1791年）迅速解散后，（1795年与1798年）建立起巴黎综合理工学院[École Polytechnique]与艺术与工艺学院[Conservatoire des Arts et des Métiers]，（1798年）举办首届全国工业展览[National Industrial Exhibition]。“平民”[*tiers état*]的观念是以工业替代手工艺。这也同样适用于英国；但是，由于英国人的性格，该地的变化缓慢，并没有发生一场突如其来的革命。早自18世纪开始，最后只以1832年的议会改革法案[Reform Bill]而告终。英国的手工艺行会的影响并没有欧洲大陆的行会大。自从14世纪开始，贵族阶层已经开始与商人阶层联合起来。但英国的富豪集团代替贵族统治较法国更早，因此，仅在比喻的意义上将1760至1830年之间的英国文明史称之为工业革命[Industrial Revolution]。

一些日期可以表明快速且迅猛的工业增长，将在往后的一个世纪里形成酝酿一场现代运动的可能。由于英国在工业革命中的领导地位，几乎所有早期的时间节点都与英国有关。在1709年，阿伯拉罕·达比[Abraham Darby]以焦炭（代替木材）来铸铁；大约在1740年，本杰明·亨兹曼[Benjamin Huntsman]发明了

1851年大展上的银器。

坩埚融铸钢铁；在1783年，考特[Cort]引入捣炼技术；大约在1810年，出现了采取具有决定性改进作用的鼓风炉（奥博多特[Aubertot]）；在1839年，内史密斯[Nasmyth]发明了蒸汽锤；并且在1856年，贝西默[Bessemer]带来无炭炼钢的新方法。对于这些在冶金方面的发明，我们还必须加上（1765年）带独立冷凝器的蒸汽发动机发明（詹姆斯·瓦特[J. Watt]）、蒸汽锅炉技术（1781年）以及铁路机车（1825年）。在纺纱及编织工业的关键日期则包括：1733年的飞梭技术（约翰·凯伊[J. Kay]）；1760年的升降梭箱（R. 凯伊[R. Kay]）；1764至1779年的多轴纺纱机[spinning jenny]（哈格里夫斯[Hargreaves]）；1769至1775年的水力纺纱机（亚克莱特[Arkwright]）；1774至1779年的走锭细纱机（克朗普顿[Crompton]）；1785年的动力纺织机（卡特莱特[Cartwright]）；1799年的提花纺织机[Jacquard Loom]。

急速的发展进步直接引发生产能力的骤然增长，需要越来越多的劳动力，从而导致了对相应人口迅速增长的需求。城市以令人惊骇的速度增长，新兴的市场需要更大量的商品，因而再次激发了人们的发明创造能力。更多的一些数字可以表明这种繁盛的增加情况，它让我们的现代世界脱离与之完全不同的13、14世纪的世界。英国钢铁的产量在1740年大约1.7万吨，1788年是6.8万吨，1802年是17万吨，1830年是67.8万吨。煤炭的产量在1810年是600万吨，1830年是2500万吨，1857年是11500万吨。出口棉花价值在1701年是2.35万英镑，1764年是20万英镑，1790年是150万英镑，1833年是1800万英镑，1840年是2650万英镑。英国的人口在1750年以前每十年约增长3%，而在1751至1781年每十年增长了6%，在1781至1791年增长了9%，在1791至1801年增长了11%，在1801至1811年增长了14%，在1811至1821年增长了18%。曼彻斯特在1720年时人口是8000，1744年是4.1万，1801年是10.2万，1841年是35.3万；伯明翰在1700年时人口是1.5万，1801年是7.3万，1841年是18.3万。

在这屏住呼吸的竞赛当中，无暇对所有这些处在生产者与消费者之间数不尽的发明进行概括。随着中世纪工匠的不复存在，所有产品的造型与外观留给了没有受过教育训练的手工制造者来处理。一些有地位的设计师未能参与到工业生产中，艺术家继续疏远工业，而且工人不能对艺术之事发表意见。欧洲历史上还没有出现过如此摧残人的劳作条件：劳动时间在12至14个小时之间，工厂里的门窗一直锁着；雇佣五六岁的童工。经过漫长的斗争后，他们的工作时间在1802年时削减为每天12小时。1833年，在纺织厂里工作的男性工人为6.1万人，女性工人为6.5万人，以及不到18岁的童工8.4万人。1814年之前矿井里发生的事故都没有进行任何调查。

经济学家与哲学家们十足的无视为雇主的这种犯罪状态提供意识形态基础。哲学曾经教导不可阻挡每个人能力的发展，这是唯一自然且健康的进步途径。[4] 自由主义[Liberalism]在未加检验的工业思想方面占据了统治地位，假如能够逃避责任，制造商便会利用充分的自由生产出各种低劣且丑陋的产品。而且因为消费者不接受传统、不具有教育背景甚至缺乏闲情逸致，那么就会像制作者那样，很容易成为这个邪恶集团的受害者。

倘若我们要认识1851年的展览，所有这些事实与考虑都需要盘点在内。展览的组织者事实上也将这些方面盘算在内了，在这群积极的人眼里，这是一次改革审美方面的尝试。这些人包括身为行政人员与宪法改革者的亨利·科尔[Henry Cole，1808—1882]，其建筑师朋友欧文·琼斯[Owen Jones，1809—1874]以及马修·迪格比·怀亚特[Matthew Digby Wyatt，1820—1877]，还有他的画家朋友理查德·雷德格里夫[Richard Redgrave，1804—1888]。[5] 科尔在1847年开始宣传其所谓的艺术制造，诸如日常所用物品，他认为这比当时流行的设计更好，并且在两年后他创办了《设计与制造杂志》[*Journal of Design and Manufactures*]。这本杂志发展了一个著名的美学潮流。[6] “装饰……对被装饰的物品而言是次要的”，它必须是“适合于被装饰物品的装饰”，墙纸以及地毯的图案必须没有“任何令人感到迷惑的东西，只有安稳或者朴实”，诸如此类。尽管科尔短命的公司未曾做到他所想的，但他的朋友做到了，欧文·琼斯的一些设计便是对这些原则的绝佳展现。《设计杂志》[*Journal of Design*]如此评论插图中（见43页左下插图）由欧文·琼斯设计的印花棉布：“这款设计符合了其完美的、不带阴影效果的‘干脆利落’[*flat*]特征。其次，线数和密度平均分布，从而在一定距离上产生清晰的‘层次感’[levelness]。第三，其色彩（以白色底配上黑色及深紫色）形成中性的颜色。最后……是非常不突出的，这是一件更美的遮盖物（这种材料大概是用作椅子宽松的遮盖）应有的样子。当靠近进行检视时，其线条与形式也是优美的。”[7]

不知是巧合还是必然，这个在科尔圈子里一致公认并在上面这则评论中提出且贯穿整篇文章的原则，数年前奥古斯都·威尔比·诺斯摩尔·普金[Augustus Welby Northmore Pugin]就曾明确表达过。关于普金，前面已经述及在他启发之下的罗斯金的有关建筑与艺术方面真诚的理论。普金从其《真实原理》[*True Principles*]开始谈及："设计的两大法则……没有顾及方便性、结构性或合适性的建筑并没有特色可言"，而且"所有装饰都应该保持对建筑的结构精华的展现"。尽管这本书的标题是《尖拱式或基督教建筑的真实原理》[*The True Principles of Pointed or Christian Architecture*]，而普金事实上并未使其原理远离实用，在其观点里，哥特式的建构者创造了这些做法。因此，他忠实于模仿过去的信仰，他所设计的一些装饰图案（见43页右下图）仍引领并指导着欧文·琼斯的设计，并预示着威廉·莫里斯时代的到来。

促使莫里斯成为一个高于普金以及科尔圈子的设计革新者不仅是因为他所独具的、真正的设计师天才，另外他还认识到这个时代及其社会系统是一个不可分割的统一体，而其他人却没有认识到这一点。科尔、琼斯以及怀亚特已毫无疑问地接受了机器产品，但他们没有看到由此而引起的所有前所未见的问题，并且在未曾触及其本质的情况下简单地试图推进设计。普金的灵丹妙药便是天主教的信仰与哥特式的形式。他大声疾呼，反对"那些恶趣味无穷无尽的来源地——伯明翰与谢菲尔德"，反对"谢菲尔德的不朽"[Sheffield Eternal]与"廉价且炫目的哥特式"[Brummagem Gothic]，并且为了能够持续获得更好的作品，他聘请了"一位虔诚且技艺高超的伯明翰金匠"进行制作——事实上，哈德曼[Hardman]是一位手艺商——并密切监督他的工作。十分明显，无论是普金在设计风格方面的改革还是科尔在艺术学校教育原则方面尝试性的改革都是不充分的。

只有莫里斯感觉到社会需要有个榜样，由艺术家将自己变成工艺设计师[craftsman-designer]的榜样。当他追随其与生俱来便有的、通过双手来制作物品的热情，他同时明白了以此来替代绘制图画是其社会责任。在他22岁以前，他经历了石雕、木雕、制陶以及用灯具做装饰的训练。这使他掌握了如何遵循材料特性与操作过程。当他观察周遭的工业艺术，他看到生产者公然地违反这些规律。因此，他为其房屋最初设计的家具完全就是一种抵抗。其椅子与桌子，"带有强烈的中世纪趣味，就像梦魇"（罗塞蒂语），反映出他在制造家具物件时故意要回归到最为本质的态度。

装潢新居红屋以及莫里斯公司成立的那几年，莫里斯早年建立起来的表达方式在某种程度上与他在后来更出名时的表现有所不同。他早期的设计具有干脆、轻巧且优美的形式，这无疑受到了来自科尔的《真实原理》以及欧文·琼斯《装饰的语法》[*Grammar of Ornament*]的影响。莫里斯于1861年设计的第二款墙纸《雏菊》[*Daisy*]（见第12页插图），其色彩亮丽而节制，图案设计和谐悦目，生机盎然，而且整个装饰保持了莫里斯特色中强烈的自然感受，这与1851年大展中的设计师所熟练掌握对自然的模仿迥然有别。

后来，莫里斯的风格变得更加宽厚而庄重，随之却丧失了部分年轻而大胆的魅力。[8] 这并非是其创意之源现已不再丰富，而是他非常简约的设计取向使其在表现形式上更为传统。例如，他在1878年决定生产地毯，他发现一些东方图案基本上就是他想要的。进而，他的汉默史密斯地毯[Hammersmith carpets]（见第36页插图）非常类似于东方设计，尽管他强调他要呈现的“很明显是现代与西方思想的产物”。[9] 这点非同寻常。莫里斯完全不是为创造的目的而创造装饰形式，因此，一旦他发现了符合他需要的典范，不管在空间与时间上如何遥远，他就采用它们，或者至少会吸收其意味，哪怕是违反他本来的想法。

由此便十分可信地解释了莫里斯后来设计的印花布与墙纸具有16、17世纪模式的原因。今天我们倾向于过高地评价这点的重要性。将他最为著名的一款设计于1883年的印花布《忍冬花》[*Honeysuckle*]（见第45页插图），与1851年大

左下图
琼斯：图案设计，出自《设计与制造杂志》，1852年。

右下图
普金：东方风格设计，出自《叶饰》，1894年。

展上所展览的源自莫里斯纺织设计中的一件披肩作品作充分对照，便立刻认识到莫里斯设计的创新基础。二者之间的对比，不仅是灵感与模仿之间的对比，或由源自15世纪文雅风格所启发的有价值的模仿与18世纪庸俗风格的恶劣模仿之间的对比；不仅如此，莫里斯的设计既清新又质朴，1851年展览上展出的披肩则是主题凌乱混杂的装饰。这种毫无想法地将风格化与写实主义混合，凸显了莫里斯在构造上的逻辑统一性与对自然发展变化的紧密研究。披肩的设计者忽略了表面一致性的装饰原则，而莫里斯所展现的平面图案设计却充满生机。

假若我们将莫里斯的地毯与大展上的地毯并排放在一起，其结果也全然如此。我们会再一次发现对装饰要求的灵活理解与对之完全无视的差别，还会发现经济简约与浪费混乱之间的差别。相较于我们今天称之为未来装饰的目的，却仍然必须在一定程度上承认莫里斯公司在设计彩色玻璃方面更加注重于细致的现实主义，而且不要忘了当时的彩色玻璃窗装饰由人物、建筑以及压缩的空间来呈现，并且带有大量的色彩与阴影。莫里斯的优点是回归到简单的人物形象、利落的姿态、纯粹的色彩和装饰化的背景。他的前拉斐尔派的朋友以及大师们在这方面帮助他。他们的绘画风格不同于维多利亚中期的风俗画，正如莫里斯的风格不同于1851年的风格一样。倘若莫里斯的彩色玻璃窗没有进一步迈向简约化的装饰风格，那大多是由于伯恩-琼斯而不是莫里斯的原因，伯恩-琼斯力图成为一位画家，而莫里斯则希望他成为一位装饰设计师而不是别的。[10]

莫里斯的设计复活了诚实朴素风格的装饰，说明其在现代运动的历史上与过去风格的联系更紧密。作为艺术家的莫里斯可能在最后仍未能够突破他那个时代的制约，但作为人与思想家的莫里斯却做到了。这便是为何他的写作与研究较其艺术成果在本书中必须率先讨论的原因所在。

莫里斯学说最初的影响可以在几位年轻的、决心投身于手工艺的艺术家、建筑师以及业余爱好者那里看到。半个多世纪以来，这门低等职业重新受到公众的认可。这里无须逐一罗列他们的名字，克兰以及阿什比前面已经提到过。还有德·摩根[De Morgan]这位伟大的英国陶艺家；玻璃方面包威尔[Powell]非常出众；金工方面有本森[Benson]；书籍艺术方面有多弗斯出版社的创办者埃梅里·沃克[Emery Walker]与科布登-桑德森[Cobden-Sanderson]。在1880至1890年间建立了五个极为重要的促进艺术手工艺的社团：1882年亚瑟·H. 麦克默多[Arthur H. Mackmurdo]的世纪行会[Century Guild]（注意“行会”一词）；1884年的艺匠行会[Art Workers' Guild]；同年还有家庭艺术工业协会[Home Arts and Industries Association]，尤其关注于乡村手工艺；1888年阿什比的手工艺学校与行会；以及1888年成立的艺术与手工艺展览社团[Arts and Crafts Exhibition Society]。

这些行会以及协会的成员大部分是较莫里斯年青的一代，但并非全部都是。

莫里斯：忍冬花印花棉布，1883年。

例如生于1839年的德·摩根，生于1845年的L. F. 戴伊[L. F. Day]，生于1851年的亚瑟·H. 麦克默多。这些艺术家的作品，倘若今天再做检查，会令人惊奇于其保存状况。例如伯明翰的休金与赫斯公司[Hukin & Health's of Birmingham]在1877年与1878年按照克里斯托弗·德莱塞[Christopher Dresser，1834—1904]的设计所生产的调味罐与茶壶（见第46页插图）。[11] 就像刘易斯·戴伊那样，德莱塞也是一位专业的工业产品设计师。其设计灵感无疑来自于科尔的圈子。他曾到南肯辛顿作讲演，曾游历日本，并且带了许多远东艺术品返回伦敦。他曾为克鲁萨玻璃公司[Clutha glass]以及林霍普陶瓷公司[Linthorpe pottery]做过设计[12]，并且写过几本有关设计原理的书籍，其想法合情合理但缺乏原创性。这使得这两件作品更加令人惊奇。与1851年大展上的银器相比较，实际上哪怕与设计于1900年或1905年之前的大多数银器及盘碟比较，德莱塞的简约设计与大胆创新也同样具有重大意义。调味罐与茶壶的每个细节都简约到其基本要素，就像莫里斯早年的设计那样。调味罐的设计基本以六个简单的蛋形托架为载体，盖子与塞子都不加装饰，几乎没有任何装饰线条，而且把手由直线与精确的半圆形所构成。茶壶则是球状的，壶脚与壶嘴僵直地伸出来，而把手则被简化成最简单的形式。

如果我们以现在的眼光来看待收藏在伦敦维多利亚与阿尔伯特博物馆[Victoria

上图
德莱赛：调味罐与茶壶，1877至1878年。

下图
德·摩根：盘子，19世纪80年代。

and Albert Museum]、由德·摩根在1882至1888年服务于莫顿工作坊[Merton Works]时设计的一件饰有一头羚羊的盘子（见下图），同样表现出对装饰基本要素的理解，只是此时完全是以二维而不是三维来呈现。这当然受到了来自莫里斯的影响以及对波斯艺术的借鉴，如背景里明显具有装饰性的树木描绘，鲜明地衬托出动物的轮廓以及对鱼处在水中作了暗示，这都十分具有创新性。

这类将原创性与传统糅合起来的做法保证了其活力超越了其所处的时代，莫里斯的设计塑造了当时在英国国内建筑中最具活力的特征。相比之下，那些主要持相反态度的设计师则违反了设计的原则。

自1850年至19世纪末，在欧洲主要国家的世俗建筑发展过程中，可以发现当中存在着一个相同的发展方向。约在1865年后，哥特式复兴运动（巴里[Barry]与普金设计的国会大厦[Houses of Parliament]，1835—1852年）的高潮正在退去，尽管后来又有单纯的新中世纪式建筑陆续出现在许多地方（沃特豪斯[Waterhouse]设计的曼彻斯特市政厅[Town Hall, Manchester]，1868—1877年；G. G. 斯科特[G. G. Scott]设计的格拉斯哥大学[Glasgow University]，1870年；沃特豪斯设计的伦敦自然历史博物馆[Natural History Museum]，1873—1880年）。简约的新文艺复兴运动[Neo-Renaissance]也正在步入尾声（巴里设计的改革俱乐部[Reform Club]，1837年；森珀[Semper]设计的德累斯顿剧院[Dresden Opera]，始建于1838—1841年；森珀设计的德累斯顿美术馆[Dresden Gallery]，1847—1854年）。在接下来的时段里，到处充斥着一种北欧文艺复兴[Nordic Renaissance]的过度装饰风格（1837年扩建巴黎市政厅[Hôtel de Ville]时已出现苗头；自19世纪30年代在英国兴起的新伊丽莎白式[Neo-Elizabethan]；1870年后出现在德国的“新德意志”文艺复兴运动[*Neudeutsehe* Renaissance]）。在引入这种装饰风格后不久，出现了一种同样过度装饰而且更为异常的新巴洛克风格[Neo-Baroque]（贾米尔[Gamier]设计的巴黎歌剧院，1861—1874年；博拉尔[Poelaert]设计的布鲁塞尔法院[Brussels Palais de Justice]，1866—1883年）。这种风格在1900年之前是欧洲大陆的许多国家所能接受的官方建筑趣味。

在英国，这一发展演变过程十分类似；但是，由于近几个世纪以来英国建筑与欧洲大陆的模仿对象不同，因而其结果也不尽相同。英国的情况是这样的。在17世纪，繁缛的伊丽莎白风格以及詹姆士一世的样式主义[Jacobean Mannerism]被依里高·琼斯[Inigo Jones]以及克里斯托弗·雷恩[Christopher Wren]所代表的、高贵的巴洛克

韦伯：红屋，贝克斯里斯，肯特，1859年。

古典主义所代替，不久后又被更为冷静的、严谨的帕拉第奥古典主义[Palladian classicism]所取代。这种豪华又内敛的风格仍然统治了整个18世纪英国的主要教堂以及大型建筑。而英国国内其他的建筑则具有更为个人化的特色。因此，自中世纪开始，英国已发展出了一种平实的、庄严且舒适的个人风格。进入奥兰治威廉时代[William of Orange]，甚至是皇家宫殿（肯辛顿宫[Kensington Palace]）也开始显现出这些特点。它们成为伦敦广场以及街道的风格基调，使得伦敦有了自己的特色。

1859年，莫里斯请他在斯赛特工作室的朋友兼同事菲利普·韦伯[Philip Webb，1831—1915]为他们夫妇俩设计一所房子。这个建筑与上世纪的住宅大异其趣。就像他的装饰设计一样，莫里斯拒绝任何与意大利巴洛克的联系，并且力图追溯至中世纪晚期的风格。菲利普·韦伯采用了一定的哥特式细部，诸如尖拱以及陡坡屋顶；他也参考了14、15世纪国内建筑尤其是国内修道院建筑的不规则设计，但他并不模仿它们。他甚至承接威廉与玛丽[William and Mary]以及安妮王后[Queen Anne]的拉窗设计而毫不忌讳将不同风格拆解组合来作为他所需要的设计灵感。红屋（见第47页插图）作为一个整体，带有许多惊人的独有特色，结实且外观宽敞，毫不矫饰。这可能是它最为重要的特征。建筑师并没有模仿皇宫

上图
韦伯：1号葛宁宫，肯辛顿，伦敦，1868年。

下图
诺曼·肖：新西兰厅，利德霍尔街，伦敦，1872至1873年。

建筑。他设计时考虑到这是一个闲适的中产阶级，而不是富豪。他所展现的红砖立面并没有像新古典主义所规定的那样进行粉饰，而且房子的外部表现依据内部的要求而来，并没有追求华丽与无用的对称装饰。在室内装潢方面，他使用了更为大胆、独立的设计（见第55页图）。细节的朴拙感经过深思熟虑的处理。局部作了高度装饰，例如莫里斯与韦伯的前拉斐尔派朋友的画作，但其他地方则毫不畏惧地展现出一个完全没有任何遮掩的设计。

与红屋相媲美的，城市建筑方面有韦伯于1868年设计的伦敦肯辛顿1号葛宁宫[No. 1 Palace Green in Kensington]（见左上图）。这座建筑大胆地采用了两个安妮皇后风格的窗户，在两窗之间有一砖柱，显然取材于哥特式建筑风格，上面又支撑着一个凸肚窗[Oriel window]。1860至1900年间，英国城乡之间兴起的所谓家庭复兴运动[Domestic Revival]，韦伯就算不是其中最为出众的代表人物，也保持着强大号召力。倘若要看光辉夺目、新颖又具乐趣的作品，那必须提到理查德·诺曼·肖[Richard Norman Shaw，1831—1912]而不是韦伯。[13] 诺曼·肖的大型社区住宅设计（应该说是诺曼·肖与伊顿·尼斯菲尔德[Eden Nesfield]合作的乡村住宅）开始采用一种夸张、任性、华丽的都铎模仿风格[imitation-Tudor]，在精神上依旧完全是前莫里斯时代的。最具特色的例子是位于苏塞克斯的利斯·伍德[Leys Wood]（1869）建筑，以及位于离伦敦不远的格里姆斯·戴克[Grims Dyke]（1872）建筑。在设计格里姆斯·戴克建筑之后不久，诺曼·肖变得越来越具有原创性。他从17世纪建筑得到启发，他的第一座城市建筑是位于伦敦利德霍尔街上的新西兰厅[New Zealand Chambers]（见左下图），现已不幸被摧毁。诺曼·肖敢于将活泼的英国乡下吊窗用于建筑的二、三层上，其底层没有摆设任何东西，除了两个由木质窗格分开为多扇的巨大玻璃窗。那是在1872至1873年之间。1875年，诺曼·肖在伦敦汉普斯特德的艾罗德勒街建起了自己的宅邸，其设计同样大胆创新。（见对页左上图）其主要的装饰母题，包括在1630至1660年流行于英国的荷兰式弧形山墙造型，此外还有威廉与玛丽以及安妮王后时代的建筑上细长的拉窗。其构图深思熟虑，而且具有非常巧妙的平衡又毫无随意之感。

尽管这场所谓安妮王后风格复兴运动[Queen Anne Revival]是成功的，但诺曼·肖并不就此满足。他的艺术风格又发生了变化——更确切地说，那便是他的艺术之源；因为他自始至终忠于保持历史主义的原貌，正如他的作品十分娴熟于处理历史上已出现过的风格那样。在19世纪80年代后期，他回想起此前的搭档艾森·尼斯菲尔德[Esen Nesfield，1835—1888]早在1870年的设计，并认真研究17、18世纪后期英国乡村与城镇住宅的风格，不仅着眼于窗户主题，也探索他们的完全朴实无华、合情合理、比例得宜、不加装饰的砖砌立面。尼斯菲尔德在邱园[Kew Gardens]（见对页右上图）的房子实际上兴建于1866年，有着1660至1670年间英国

右上图
尼斯菲尔德：邸园住宅，伦敦，1866年。

左上图
诺曼·肖：建筑师的宅邸，艾罗德勒街，汉普斯特德，伦敦，1875年。

常见的砖砌短壁柱，一个陡峭的金字塔状屋顶以及分开的三角墙与屋顶窗。尼斯菲尔德的金美尔公园[Kinmel Park]在1871年开始兴建，但可能很早便已设计完成了。其细长的、带有凸檐的拉窗与人字形的屋顶窗自成一格。当他在1888年设计位于伦敦王后门街170号的住宅时，诺曼·肖从金美尔公园中获得了相关灵感。这所房子是诺曼·肖所有作品中的殊例，开启了一种在20世纪才到达其顶峰的时尚。它实际上更接近20世纪的精神，而且是在不真正与传统决裂的条件下所能达到的最高程度，在这个方面，诺曼·肖比他当时国内外的同行们都更加具有革新精神。

除诺曼·肖与韦伯之外，还有爱德华·戈德温[Edward Godwin，1833—1886]这位英国建筑师一定要记录下来，相较于作为建筑师的他更应该是位设计师。他是威廉·伯吉斯[William Burges]的朋友，威廉是位从事新哥特式大教堂及世俗建筑的建筑师，而且发明了一些迷人的装饰，我们在后面将会讨论

上图
戈德温：白屋，泰特街，切尔西，为惠斯勒设计，建造于1878年。

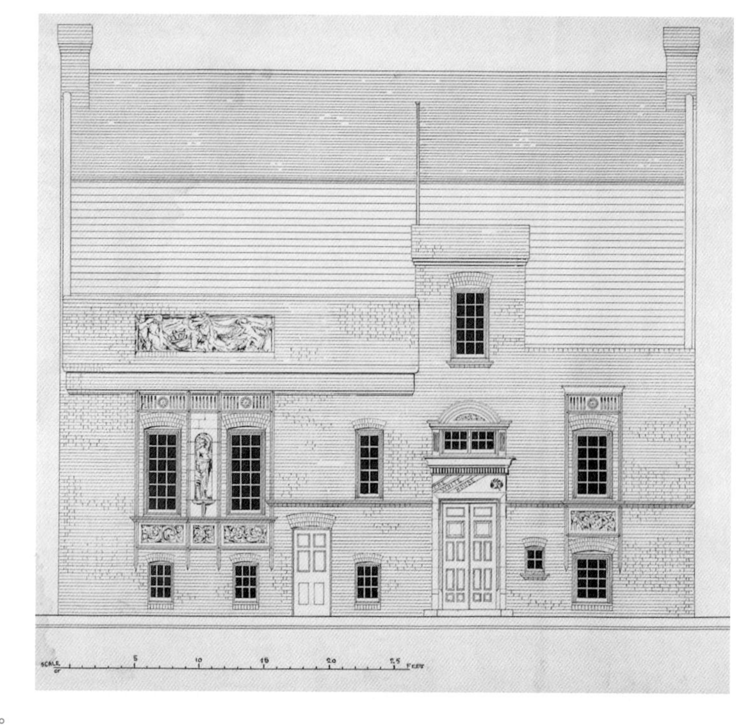

中图
怀特：纽波特娱乐场，1881年。

下图
怀特：日耳曼敦板球俱乐部，费城，1891年。

到。戈德温最初在哥特式公共建筑方面的尝试获得了成功（北安普顿市政厅[Northampton Town Hall]，1861年），但他很快便转向家庭宅邸与创新设计。早在1862年，他自己位于布里斯托的房子，便采用了空空如也的地板，不施粉饰的墙壁，几块波斯地毯，几幅日本版画，一些古董家具。惠斯勒隔了一些年后采用裸露的墙面与朴素的色彩，他必定是受到戈德温很大的影响。1878年，戈德温为惠斯勒设计了位于切尔西泰特街的白屋[White House]（见第50页最上图），这是诺曼·肖位于艾罗德勒街与王后门街的房子之间、在英国最为有意思的房子，假若建筑也可以是妙趣横生的话，它兼具创新挑战与巧妙有趣，这座建筑的开窗方式真是变化多端。

在英国以外，只有美国参与了这场19世纪后期的家庭宅邸运动。这是美国第一次以先导者的姿态出现在国际建筑界（至少是在住宅建筑领域），即使还只是一个共同的领导者。最早从地方主义[provincialism]提升到先锋领导地位的建筑师是亨利·霍布森·理查森[Henry Hobson Richardson，1838—1886]。[14] 他在1880至1881年建于马萨诸塞州北伊斯顿的F. L. 埃姆斯住宅[F. L. Ames gate lodge]，以及在1882至1883年建于马萨诸塞州剑桥的斯托顿住宅[Stoughton house]甚至较诺曼·肖同时期的建筑更具独立性。理查森利用叠瓦以及大块的混砌毛石、卵石，也许可以说它们如画般的不对称性展现出了类似于诺曼·肖曾经拥有过的创新性，而且更具活力。后面还会提到他在商业建筑方面更具魅力的设计。他的城镇及乡村建筑风格都曾经被其他好的坏的与庸碌的建筑师广泛地模仿过。他的追随者当中，最重要的是斯坦福·怀特[Stanford White，1853—1906]，他早在1881年便建造了纽波特娱乐场[Newport Casino]（见第50页中图）。当中清晰可见斯托顿住宅的特点，尽管他处理得更为优美一些。

斯坦福·怀特较理查森没有那么原始、硬朗，事实上很可能采取了与诺曼·肖于1875至1888年间所建房子的类似步调。只有怀特撇开了英国安妮女王时期的方法，首先采用中部意大利文艺复兴盛期的元素，随后又吸收美国殖民时期的风格，表达出了新颖的简约思想。他众所周知的作品有：1885年纽约麦迪逊大道的维拉尔住宅[Villard houses]，1886年罗德岛纽波特的泰勒住宅[H. A. C. Taylor house]，及1891年费城的日耳曼敦板球俱乐部[Germantown Cricker Club][15]（见第50页下图）。

虽然美国有了这些具有促进作用与创新性的发展，但欧洲建筑对此没有任何直接的反应。英国偶尔也出现类似理查森的风格（后面的章节将会讨论），而欧洲大陆则令人惊奇地长时间无视美国的创新发展。当欧洲大陆的建筑师们已经厌倦了浮夸的新巴洛克风格，并从过去的各种形式中解放出来而投向新艺术运动，他们将目光转向英国，从英国建筑、手工艺寻找帮助，但尚未转向美国。

大展

1851年，万国工业大展在水晶宫举办，由阿尔伯特亲王与亨利·科尔爵士领导维多利亚时期的精英团队用了两年时间筹办，他们后来建立了维多利亚与阿尔伯特博物馆。这个展览的理想是将大量来自世界各地最新的家具、装潢以及器具展品汇集在一起，并以此方式来指导公众对好设计的把握——言外之意即雅趣。展览组织者本来的计划是要展示英国制造业的成果，却意外地显示出许多英国产品荒唐地过度装饰，并没有展现出好设计的“正确原则”，而亨利·科尔爵士及其团队也很快认识到这一点。不过，由于“先令日”[shilling days]以及铁路公司组织游览，确保了成千上万游客的参与，使得这次展览活动仍然取得了巨大的成功。年青的莫里斯便身处这些游客当中，他对于英国众多的产品制造能力既惊讶又反感，其中所展现出大生产的“令人惊奇的丑陋之物”，在他看来那是完全没有灵魂的，并且使得制作者丧失了人的本性。

上图
琼斯：大展翼厅，1851年。

右图
纳什：大展中的五金产品，1851年。

欧文·琼斯与《装饰的语法》

威尔士建筑师欧文·琼斯（1809—1874）在装饰母题的收集与分类方面有着众多影响极大的著作。其中最为著名便是1856年出版的《装饰的语法》一书——这是第一个由石版彩色套印[chromolithography]的全彩印刷本。在该书出版的五年前，他曾任水晶宫大展的主管，并得以在室内装饰方面试验与落实各种色彩理论。琼斯提倡几何装饰形式以及精确的色彩与设计。其百科全书式的《装饰的语法》展示了大量的图案设计，包括哥特式的、东方的、摩尔人的[Moorish]以及古典的，并且强调了对源自古物与自然的图案进行研究的重要性。这本书迅速成为英国设计与趣味的图案本。威廉·莫里斯在他的藏书里有这本书的复本，他对琼斯的理论里可以追溯至自然的基本几何法则十分感兴趣，例如，当中对花卉与树木结构的揭示，或者将树叶排列转换成阿拉伯式的图案，尽管莫里斯自己的作品并没有琼斯的图案那么绝对的精确，并且柔化了明艳的色彩。

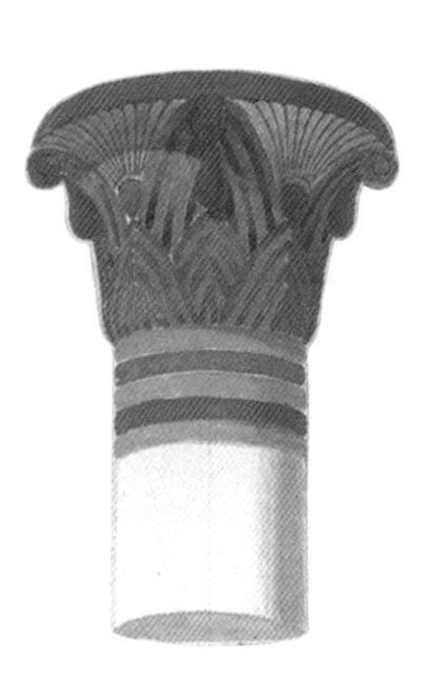

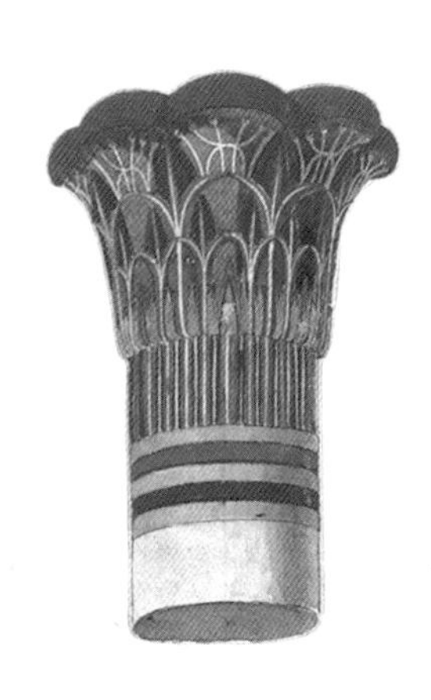

上图、左图
琼斯：来自《装饰的语法》的图案设计。

本土复兴

红屋，由菲利普·韦伯为威廉·莫里斯建造，打破了古典模式，高举世俗化的旗帜并为英国建筑的本土复兴运动铺路，自1860年开始往后持续了40年的时间，而且由诸如韦伯、查尔斯·弗朗西斯·沃伊齐[C. F. A. Voysey]以及——佩夫斯纳最为欣赏的——理查德·诺曼·肖之类的建筑师所引领。韦伯与莫里斯都在哥特式复兴主义者乔治·埃蒙德·斯赛特[G. E. Street]那儿接受过作为建筑师的专业训练，他们将对建筑的真挚与诚实的理想融合进红屋的规划当中，但他们寻找直接的灵感，回到建造普通的、传统的、并非由建筑师设计的英国建筑。结果令不对称的、L型结构的房子广受喜爱。正如其名字一样，房屋由温暖的红色砖块建造，有着一个巨大的拱形门廊，并且具有陡峭的山形墙屋顶，顶旁有高大奇特

克兰：红屋中的茶亭，1907年。

左图
韦伯：红屋中的烟囱，1859年。

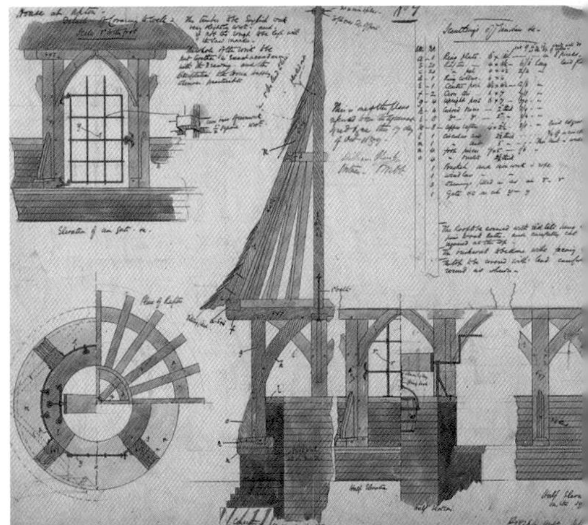

上图
韦伯：红屋的设计图。

的烟囱。不同形状的窗户展现出变化，它们的不规则都是基于室内布局安排的需要，因为韦伯关注于建筑设计从内到外“要合乎它们应该的样子”。由红屋所引发的英国本土建筑运动激励建筑师们回到世俗传统中去，将他们的建筑与风景联系起来，通过细心选择各种来自当地的材料营造具有地域特色的建筑。山形墙、门廊、墙瓦、天窗以及灰泥或灰涂装饰，所有这些都是本土复兴运动的要素。

唯美运动

所谓唯美运动[Aesthetic Movement]，可以追溯至位于邦德街的格罗夫纳美术馆[Grosvenor Gallery]1877年开幕之时——这座美术馆珍藏着爱德华·伯恩-琼斯以及乔治·弗里德里希·瓦茨[G. F. Watts]、罗塞蒂、阿方斯·勒格罗[Alphonse Legros]和惠斯勒[Whistler]的作品。奥斯卡·王尔德，以其平缓的演讲以及“理想化”的衣着，表明其美学态度；亚瑟·莱森比·利伯特[Arthur Lasenby Liberty]凭借其销售才华，聘任诸如爱德华·威廉·戈德温[E. W. Godwin]以及沃尔特·克兰之类的艺术家和建筑师从事设计，为维多利亚时期的中产阶级提供了恰当的审美支持。创造“艺术化的”家的热情快速增长，这受到新一代关注家庭题材的作家推波助澜，例如查尔斯·伊斯特莱克[Charles Eastlake]的《居家趣味提示》[*Hints on Household Taste*]，霍伊顿夫人[Mrs Haweis]的《装饰的艺术》[*The Art of Decoration*]，通过给出大致的建议并推崇“教育眼睛欣赏真正构成雅趣的东西”，以求满足对艺术教诲“极度的”[ravenous]渴求。读者们强烈要求以“唯美的”[aesthetic]色彩来装饰他们的家，而围绕他们的是各种诸如孔雀羽毛、东方的扇子、蕨、棕榈、书籍与绘画之类的唯美主义[aestheticism]象征物。唯美运动遭到来自诸如《潘趣》[*Punch*]讽刺杂志的顽固堡垒凶猛的冷嘲热讽，但——除了走极端的时候——它的影响通常是有益的。制造业认识到需要聘请艺术家与建筑师制作更好的设计，并且百货公司在新颖的货亭展示他们的产品，制作产品目录让那些新兴田园城市[Garden Cities]的居民们能够分期付款购买整套的家具。

对页左图
罗塞蒂：《普罗塞尔蓓娜》，1882年。

对页右图
伯恩·琼斯：《鹈鹕》，1881年。

下图
阿尔玛·塔德玛：《花的归返》，1911年。

3 绘画中的1890年

正当英国的艺术家为建筑与设计的未来风格明晰了方向之时，绘画方面的新思想则在欧洲大陆上得到了孕育与发展。英国在不断扩展的运动中起到维持与唤起有益传统的作用，以此维护建构艺术体系的坚实基础；而欧洲大陆的艺术家们给予自己的任务则是在艺术世界里推进新的信念。

莫里斯谢绝追随上一辈人走过的道路，我们将在本章中论述的那些领导欧洲大陆的艺术家们也同样如此，或者更贴切地说，表面上如此。基于莫里斯反对1851年展览上的可恶之物，而19世纪90年代的改革者则反对马奈、雷诺阿以及其他印象派画家与技艺超群的艺术家们。莫里斯厌恶前辈艺术家的浅薄，并且厌恶对英国的社会与艺术状况负有责任的自由主义；1890年的反叛者们也指责他们的前辈艺术家的浅薄（尽管是在完全处于表面性质的程度上），并且更关注于个人而非共同利益，那是自由主义的必然结果。

至此，莫里斯倡导的运动与发生自1890年的绘画运动在相应的路径上前进，并面向着相似的目标，但有着最为不同的方式与结局。莫里斯梦想着恢复中世纪的社团、工艺以及艺术形式，而1890年的欧洲绘画领袖则是为了一些前所未有的东西而奋斗。总而言之，他们的艺术风格挣脱了时代回流，没有障碍、没有妥协。这同样适用于新艺术运动的建筑与装饰，但画家比建筑师更早突破。因此，在我们继续谈论本书所主要关注的建筑与装饰革新之前先来谈论在绘画上的巨大变革。

许多艺术家参与到了这场解构与建构运动当中。其中最为引人注目的是两位法国人，塞尚与高更；一位荷兰人，凡·高；以及一位挪威人，蒙克。除了他们之外，这里还要提到的五位艺术家是：修拉[Seurat]、卢梭[Rousseau]、恩索尔[Ensor]、托罗普[Toorop]、霍德勒[Hodler]。

比较雷诺阿1908年绘画的《帕里斯的审判》[*Judgement of Pairs*]（见第60页插图）与塞尚绘画于1895至1905年的大作《浴女》[*Bathers*]，也许可以将之作为1890年前后欧洲绘画特点剧烈改变的反映。雷诺阿的绘画，尽管是后来的创作，但他的作品仍然是典型的印象派；而塞尚（1839—1906），虽然他出生于与马奈、雷诺阿、莫奈相同的年代，但他作为一位印象派画家只有短暂的一段时间。他早期的艺术风格可以追溯至德拉克洛瓦、库尔贝以及巴洛克风格，而且在他最为成熟的作品中仍然保持着印象派对于外部美的理想，但他其他方面的思想

对页
卢梭：《自画像》，1890年。

雷诺阿：《帕里斯的审判》，1908年。

却又完全与印象派对立。莫奈笔下的风景表面覆盖着一层璀璨的光辉，而塞尚笔下的山脉与树木以及房舍则是静止而永恒的场景，设计于绘画的三维空间之内。

雷诺阿《帕里斯的审判》的迷人之处在于对玫瑰色人体的表现，配之以宽松笔触描绘的绿色、蓝色与粉色色调的风景中。这是一种高度感观化的魅力。雷诺阿坦率地说过，他在一幅名作面前只会想到：要乐在其中。他曾经赞美过一幅他想要献吻的画作，还有一次他指责一位大画家，因为“他未曾抚摸过他的画布”。[1] 抓住完全转瞬即逝的惊喜，抓住映入眼帘的光与色的五彩缤纷，无论何时，制造一个丰满的、和谐的构图，并且描绘出富有气氛的迷人魅力。这就是雷诺阿的目标。

塞尚鄙视诸如此类肤浅的取向。在其《浴女》中的妇女并没有任何感官上的吸引力。她们的动作不由自主，而是为了配合抽象的构图方案，这才是这幅画的真正主题。他的目的是要表达物体恒久的品质，不能持久的美无法占据他的思想。在左边正迈开脚步的妇女与不自然倾斜的树木连成一条斜线。而左边端坐的人物其背部和臀部强烈的扭曲则融入到了与四条主要水平线相连的斜线当中。她们的面部几乎没有任何细节，不许任何具有个性的表现。塞尚并不在乎个性，他思考的是对宇宙的理解。他曾疾呼：“那一群印象主义者缺乏一位导师，同时也缺乏思考。”[2] 塞尚以“圆柱形、球形以及圆锥形”[3] 构成其画面，试图演绎自然永恒的法则。因此，他全情投入、苦心经营其创作，将它们修改了一遍又一遍。为了描绘一个人像而需要用到多达50位模特，并且他们许多人都能证明其狂

塞尚：《浴女》，1895年至1905年。

热的行径。

文森特·凡·高[Vicent van Gogh，1853—1890]的劳动强度与创作热情更是无以复加。凡·高一旦开始工作便没心思顾及其他。他的生活历程对于启迪在1890年前后具有创造性的艺术家态度的改变极为重要。他曾是一位为穷人布道的世俗传教士，在发现绘画是一种合适的表达方式之后，他努力学习以掌握运用画笔的技巧。只过了两年，他成熟的艺术风格便已出现在其情绪激动时快速描绘的绘画中，“就像一个在烈日下默默劳作的收割者，专注于其劳作”。[4] 在一幅画作当中可能呈现的只是一把空椅子，而且它本来是一把空椅子，现在却意味着朋友悲伤地离开了——所有他无法抑制的激烈感情全盘倾泻在画面里的色彩以及粗犷的笔触里。他也许描绘的是一间咖啡馆，但将它画成了“一个令人发狂或者惹人犯罪的地方”。[5] 他的色彩完全不是偶然而来，也不是从观察自然光影变化而来。他带来了一种新的色彩，常常表达一种“炽热暴躁的感情”，[6] 也许是“带有思虑的眉宇”，也许是“两个恋人的爱情”。[7]

因此，凡·高成熟时期的肖像画并不只是一幅肖像，并不只是一些不同人物的特征呈现。他以一种神秘的方法，把更多的东西埋藏于诸如脸部的笔触之中，诸如简陋的人体造型里，诸如背景中僵硬的笔画（见第62页底图）。我们再次感到突然直面作为创造性力量的自然本身时所感受到的壮丽与恐惧，而不是以印象主义者的描绘技巧来改变自然的表象。在马奈1882年的作品《珍妮》[*Jeanne*]

（《春》[*Springtime*]）（见左上图）中，人物与背景之间几乎没有什么差别。拒绝分辨清楚变化与永恒之间的差别、绝对与偶然之间的差别，这种思想自17世纪之时已经出现在哲学领域中；它造就了荷兰风景画艺术，并在印象主义里达到了极致。《珍妮》对画家们之所以重要，只是因为它是自然的组成部分，反映出色彩与光线。

但是对凡·高而言，他十分熟悉的农妇，则是一个思想的载体。作为一个象征，她是神圣而不可摧毁的。他渴望描绘出“圣徒与现实生活中圣洁的妇女，她们可能看起来似乎属于另一个时代，但恰恰就是今天的中产阶级妇女”[8]。他想向人们表明他相信他们购买廉价且粗糙的颜料的做法是正确的，而不是像那些往艺术展览去的、住在城市里的人那样。[9] 比起当代绘画的精美，他更喜欢流行的彩色印刷品的简约，并且努力追求这种在主题与技巧上的简约精神。但他对自己的能力过低估计且缺乏自信，妨碍了他投身于宗教主题的勇气。实际上他初时创作过一幅《客西马尼园》[*Garden of Gethsemane*]，但后来撕毁了。他整天投身于绘画创作，希望消除“对宗教的极度需求”。[10] 但他失败了；这种“极度需求”无处不在，并且被倾注于他选择的作为热爱表现的对象，任何人物、花草或者云朵。

下图
马奈：《珍妮（春）》，1882年。

底图
凡·高：《一位农妇的肖像》，1890年。

事实上，只有凡·高感到对宗教的需要如此强烈。但是，倘若高更[Gauguin，1848—1903]不是非常鄙视19世纪生活的浅薄，他还会离开欧洲并与太平洋岛屿上的原始人开始新的生活吗？在离开之前，他曾短暂地转往宗教绘画方面。爱丁堡美术馆[Edinburgh Gallery]收藏着他描绘约伯与天使搏斗的画作（见第76页右下图），其前景是一群布里多尼妇女[Breton women]，还有一幅名为《黄色的基督》[*Yellow Christ*]的作品（见第63页左上图）。印象派画家可能会对画中木头的形式感到不满，如此粗糙且令人不悦，那些厚重的黑色轮廓——出版物上称之为“分隔主义”[cloisonnism]——那些凝重、坚实、强烈的色彩，而且也没有一位印象主义者会选择这种题材。印象主义者只对眼睛所能看得见的东西感兴趣，在表面之下没有什么重要的东西了。他就像任何维多利亚时代的哲学家那样是一个物质主义者。对高更而言，画面并非实质，对自然物象的随意安排不足以成为一幅画的观念。创作过程中必须压缩从印象中接收到的东西，当中包含着所有恒久意义的因素。《黄色的基督》的背景并不是法国风景的一个特别片段，它是布列塔尼的一个总体象征，并且象征着农民生活的精神，以朴拙的、非理性的方式与土地以及虔诚的信仰相联系。这些布里多尼妇女神情呆滞，辛勤劳动过后的疲倦、顺从，以及沉默的谦卑表露无遗。画面中央的基督也具有1920年表现主义画家习惯赋予人物的那种刻意的原始性——一个偶像，但并不是基督受难的形象，这自高更之前的五个世纪发展而来。高更实际上模仿自一件来自中世纪晚期布里多尼的乡村木刻作品。

右上图
高更：《河边的妇女》，1891至1893年。

左上图
高更：《黄色的基督》，1889年。

高更曾于1886年及以后的几年在布列塔尼地区的阿帆桥工作。[11] 一群年轻的艺术家聚集在他的周围，特别是埃米尔·伯纳德[Émile Bernard]与保罗·塞律西埃[Paul Sérusier]。在布里多尼那几年，高更曾到过马提尼克岛[Martinique]，并且为了逃离世俗的西方文明，在1891年再次离开欧洲。他去了塔希提岛，直至1893年返回法国，而且在1895年重返塔希提。使他远离巴黎留在该地的原因是，他发现岛上男女的单纯、真诚与热情，同时，他发现了自然的富饶与质朴。

自然——那就是自然的精神与呈现自然表面的模仿之间的对抗，而且在一个更为宽泛的程度上，也是自然作为宇宙力量与人类独立力量之间的对抗——这是1890年前后的欧洲绘画运动中的箴言之一。这或许意味着，诸如高更和凡·高那样，返回到本能与自我放逐；或者也可能意味着，像塞尚那样，回到几何的基本元素中去。这也许会导致表现主义发展成为立体主义。它也许会带来对圆柱形、球形以及圆锥形的灵感，或者对波利尼西亚人与中世纪雕刻产生灵感；而反对19世纪思想的基本态度仍然没变。

重新发现最有魄力的早期艺术一个典型的结果便是在版画艺术方面的风格改变，这最先自1889年高更的锌版画开始。这些版画方面的影响划定了平面之间的强烈对比，放弃了所有微妙的色彩变化与气氛转换。难怪在数年以后，高更采用了另一种更为适合的媒介来表现充斥在其思想内的黑色与白色的景象。木刻

瓦洛东：《沐浴》，1890年。

完全依赖于用刀雕刻的过程，能够不用寻求那些复杂性与强烈性（见第63页左上图）。只采用“精心之作”[*tour de force*]，才使得19世纪木雕工匠制作诸如精细迷人的铜版画之类肤浅的东西。

高更的第一件木刻作品可以追溯到他刚定居塔希提岛之时。当时，来自瑞士的追随者、画家菲利克斯·瓦洛东[Félix Vallotton，1865—1925][12]，在1890年发现了木刻表现新感受的可能性。他在1892至1893年之间的木刻作品《无政府主义者或是年轻女孩》[*The Anarchist or Young Girls*]中，力求减少微细的差别，加强一些主要的特色与姿势，来达到漫画的艺术效果。当时他的主要绘画作品《沐浴》[*The Bath*]（上图），可能是那个时代所产生的故意模仿儿童绘画的最为令人惊奇的例子。瓦洛东以一种令人极为震惊的手法，把几个穿着样式奇异的无袖短裙的妇女与十或十二个刻画粗拙的裸女放在一起。他无疑在将招贴引向艺术作品的转换过程中成为其中的领导者之一。他自1892年开始创作招贴画。

从这个时候开始，法国诞生了第一批招贴艺术家，他们在审美价值上立足于简明色块的对比并且压缩画面的空间感（图卢兹-劳特累克、斯泰恩纳[Toulouse-Lauree, Steinlen]）。英国的艺术家们，尤其是乞丐兄弟[Beggarstaffs]（J. 普赖德[J. Pryde]与W. 尼科尔森[W. Nicholson]），几乎是

丹尼斯：《四月》，1892年。

马上加入了这场运动，并且制作出了一些最为显著的招贴作品（《灰姑娘》[*Cinderella*]，特鲁里街剧院[Drury Lane Theatre]，1984年）。[13]

莫里斯·丹尼斯[Maurice Denis，1870—1945]在这时的绘画作品，例如收藏在位于奥特洛的克勒勒-米勒博物馆[Kröller-Müller Museum，Otterlo]的《四月》[*April*]（见上图），也与招贴画之间有着明显的相似之处。其来源是高更，丹尼斯对高更印象深刻并且通过他们相互的朋友塞律西埃而相识。[14] 画中年轻的女士身穿白色服装，蜿蜒的道路婉转地呼应了她们飘动的衣服，而且前景中钩状的树枝概括了此画的主题，同时是一个装饰的主题，真正的含义被隐藏了起来。就此看来，可以肯定这些女士并非只是在散步、采花。事实上，这幅画是《四季》[*Four Seasons*]系列中的一幅，而且丹尼斯在绘画与浇注玻璃两个领域也创作过其他带有装饰性且饶有趣味的题材。他也为书籍作插图，也设计地毯与墙纸。自此，高更的圈子开始倾向于手工艺领域——这个圈子与英国的艺术与手工艺运动的形成有着一种莫名其妙且不相通的相似性——放弃了专门对自然进行极为高超的模仿。高更早在1886年就从事陶艺制作，并且在1888至1889年时的创作非常大胆与粗拙，而且他在1890年制作了一些木刻作品——其中一件名为《神秘》[*Soyez mystérieuses*]。而埃米尔·伯纳德[Émile Bernard，1868—1941]是

修拉：《大碗岛的星期日午后》，1884至1886年。

高更、塞尚及凡·高的朋友，而且是中世纪风格宗教绘画画家，高更因而注意到了基督教题材，早在1888年他开始制作木刻并且设计纺织品与彩色玻璃，1890年时他甚至为了生计在里尔[Lille]的纺织品公司里当设计师。[15] 我们不知道他的设计看起来如何，但它们也与手工艺一样是平滑的、神圣的、简约的，和新的招贴设计一样勾起了对老广告的回忆。这是修拉与卢梭绘画的一个关键所在。乔治·修拉[Georges Seurat，1859—1891]的《大碗岛的星期日午后》[*Grande Jatte*]（见上图）在1886年展出之时被视作笑话。画中的人物像木制的小孩玩具，他们笨拙的移动仿若体内安装了发条驱动装置，沿着看不见的围栏靠着画面的边框前进。我们似乎听见他们移动所发出的嘀嗒声[*tic-tac*]。画中的狗与滑稽的小猴子也毫无生机。这种故意排除气氛的感觉更加显著了，因为修拉起步于印象主义，在努力将印象派的表面分解的科学原理推向极致的过程中发展出了他那奇怪的马赛克般的技巧。印象主义者们使用未调和的颜色以松散的笔触来绘画，让观众用眼睛将这些分散的彩点结合在一起，由此而产生的朦胧气氛，对印象主义者来说，这便是身处的世界。通过将这些成片的彩点凝聚为结实的单元，修拉破坏了雷诺阿与马奈所追求的效果，并且以一种僵硬的失真效果取而代之。

修拉一定因为他的绘画中的幼稚僵硬所带给观众的震撼而沾沾自喜，否则他不会绘画诸如《竞骚舞》[*Chahut*](1890)、《马戏团表演》[*Circus Parade*](1888)这样热闹的场景，当中奇怪的小丑与舞者的姿态十分扭曲，看起来令人感到惊奇不已。由此，我们能够再次直面其反叛的一面——就像塞尚的《浴女》，凡・高的风景画或高更的塔希提妇女那样反叛——瞬间暴露出现代文明的失效。

在1890年时的这些最具特色的画家当中就只有海关职员卢梭[Rousseau，1844—1910]没有这种感觉，命运给予他纯真的心灵，让他能够在没有任何有意的诱导下真诚地描绘。他的艺术没有马奈与德加那样的美丽精致。但这种美学价值上的缺失被生命价值的增加抵消了，并且这种生命价值在我们的语境中等同于历史价值。

在1890年与真人等大的一幅自画像中(见第58页插图)，当中的色彩有如从前流行的日历插图般粗拙，艺术形式仿佛出自小孩之手。画中认真罗列的旗帜，那些整洁的云朵伴着气球在漂浮，而画家的黑色轮廓让他看起来相当痛苦，似乎像是缺乏才能的业余画家越出常规的习作。今天，我们可以看到所有这些与修拉及瓦洛东的倾向是一致的，标志着西方艺术发展过程中的一个里程碑。

与高更相仿，卢梭对热带地区的原始生活情有独钟。他曾经去热带观光，并且在数年以后开始描绘原始的森林、狮子、老虎、猴子以及猎狮户。他的绘画作品缺少高更以及后来的诺尔德[Nolde]那样在他们内容简单的作品里所注入的庄严圣洁的味道。但是，作品中幼稚的处理手法表现出引人注目的真挚情感，就像小孩子又爱又恨的绘图书里的树木与野生动物。换句话说，通过这种看似无能的技巧，卢梭相较于深谙艺术知识的高更更加接近于原始人的世界。

詹姆斯・恩索尔[James Ensor，1860—1949]许多表现假面狂欢者的绘画乍看之下仿佛仅仅是娱乐之作。但是，他们的真实意思却与修拉或卢梭的作品完全相反。恩索尔有时候也被认为是一位印象主义者。他开始描绘假面之前已冲破了印象主义的信条。在他大约绘制于1886年的成熟创作当中(见第68页插图)，既没有印象主义者的自然主义[naturalism]，也没有卢梭那样的简单变形或者修拉那样的取向直接。他描绘这群戴着滑稽假面的人并不是因为他喜爱欢乐的骚乱，而是因为假面能够使画家把那恶魔般的道德败坏者的面部表情永远留下来。这再一次否定了描绘细微的表情差别，以“回归到基本法则上”，尽管对恩索尔而言，他想最终达到的基本法则是人类天性的卑劣。对其态度作如此解释的真实依据可以从恩索尔所描绘的其他题材的作品，或者在关键的那几年里所制作的蚀刻版画中看到。他最重要的绘画作品有创作于1887年的《圣安东尼的苦难》[*Tribulations of St. Anthony*]以及1888年的《基督进入普鲁塞尔》[*The Entry of Christ into Brussels*]。当中再一次由极其丑陋的恶人围绕着圣徒或上帝，恩索尔经常以迷人的用色与柔和度使画面变得更为惊悚。但是这些富有肉感的粉色、丝

恩索尔：《诡计》，1890年。

滑的蓝色与甜腻的绿色为一幅印象派绘画增添了绝对的戏谑感，这与恩索尔所描绘的严肃的焦虑感形成强烈对比。

人们开始觉察到一个新的“主题绘画”观念成为1890年的整个运动中的组成部分。一想到印象主义我们就会想到风景画、肖像画、静物画，而不是宗教和哲学。实际上，这里有一群处于印象主义外围的画家描绘那些爱国主义的或者寓言讽刺的题材，以及奇闻轶事与市井风俗的题材，但在英国前拉斐尔派的灵魂领袖当中已非常之少了，他们是19世纪早期浪漫主义最后的一辈，1890年时的先锋人物却对这些题材饶有兴趣。当1890年的运动更加倾向于象征主义时，从表面上看，其艺术灵感通过各种途径更频繁地获取自英国艺术与手工艺运动，该运动的源头乃是前拉斐尔派。例如这两位活跃于1860至1890年之间的法国画家，提倡较日常生活所提供的更为深奥思想的艺术表达，他们便是于斯曼[Huysmans]的朋友古斯塔夫·莫罗[Gustavve Moreau，1826—1898]，以及奥迪隆·雷东[Odilon Redon，1840—1916]。

1890年的新风格与莫罗、前拉斐尔派之间的联结便是比利时画家费尔南德·赫诺普夫[Fernand Khnopff，1858—1921]的作品。他具有英国血统，妻子是英国人，而且他曾经在英格兰生活过几年。他的首幅象征主义绘画作品《狮身人面像》[*Sphinx*]绘画于1884年。其重要创作可以追溯至1891至1896年左右（《献礼》[*The Offering*]，1891年）。这幅招贴正好是1891年的作品，为“二十人”[Les Vingt]团体的展览做宣传，这是一个布鲁塞尔的艺术家团体，我们后面还会再次提到。当中的字体完全是维多利亚式的，率性且放任，没有真正的原创

右上图

赫诺普夫：招贴，1894年。

左上图

托罗普：《让路》，1891年。

性，但右边的人物四年后又出现在《马蹄莲》[*Arum Lily*]这幅画之中，以一个圣徒的姿态笔直地站立着，仿佛她正处在某种宗教仪式当中。[16]

依恩·托罗普[Ian Toorop，1858—1928]在荷兰的地位与赫诺普夫在比利时的地位相当。[17] 他是在19世纪法国的潮流中开展其艺术活动的，他对英国也有独到的认识（1885年左右），他的妻子也是英国人（生于爱尔兰，其父母是苏格兰人），而且他也是在1890年左右转向了象征主义。其漫画作品《让路》[*Faith Giving Way*]（左上图）绘画于1894年，这是托罗普完全展现出新风格的首件作品：画中瘦削的肢体古怪地纠缠在一起，只能通过阅读详细的说明才能理解。画中人体构图的晦涩难解和错综复杂都证明了托罗普的风格来源，一个尚存疑问，而另一个则是肯定的，即布莱克[Blake]的线条艺术以及深奥的象征主义，还有爪哇艺术，托罗普通过荷兰的东方收藏得以接触到他们。我们由此联想到托罗普出生于爪哇，其父亲也有着一点爪哇血统，以及在（19世纪）80年代中期荷兰的科伦布兰德[T. A. C. Colenbrander（应为T. C. A. Colenbrander——译者注）]已经开始模仿印度尼西亚的蜡染印花[Batik-printing]技术，就像高更在19世纪90年代偶一为之的木刻中模仿西印度群岛与太平洋地区的雕像一样。[18]

较托罗普更为成功并且比高更更为淳朴的是瑞士的费迪南德·霍德勒[Ferdinand Hodler，1853—1918]的风格，他以线条及精确的冷色调来表现宗教题材。霍德勒的首幅肖像画描绘于1888年，展现出一种简练圣洁的画风；他第一幅寓言讽刺绘画《夜晚》[*The Night*]创作于1890年。其名为《天之骄子》[*The Cbosen One*]的绘画作品构思于1893年，在1893至1894年间制作（如图）。它给我们的感

霍德勒：《天之骄子》，1893年至1894年。

觉与其说是一幅画，不如说是一件纺织品。人物没有立体感，也没有表现出艺术氛围。六位守护天使并没有站在地上，她们应该是飞起来的，却没有传递给观者任何这种印象。在她们的脚板与草地之间，或者说在她们的身体与背景之间好像毫无空间存在。就像六根又长又纤细的蜡烛似的，她们围绕成一个浅浅的椭圆形，当中一个身形细小且孤单的男孩正在祈祷。他的手臂与手掌也像托罗普或赫诺普夫所描绘的那样精致。肌肤的观感魅力可能会削弱主要的内容。一种清晰抽象的冰冷气氛笼罩于霍德勒的作品上。难怪他在晚年时转向了阿尔卑斯山脉的风景题材。凡是努力追求这种纯净的风格与精确的表现技巧的艺术家一定会蔑视流于表面的现实主义与印象主义学派松散的构图安排。

当时最伟大的挪威艺术家，较霍德勒与托罗普更有影响力，他便是爱德华·蒙克[Edvard Munch，1863—1944]。就像许多那一代的领袖人物那样，他也经历过一个印象主义的阶段。他在巴黎创作时受到了毕沙罗的影响，他最初或许也是不自觉地吸收了高更的风格，并且因此而获得力量去克服精致审美的危险诱惑。他随后开始以一种极具原创性的手法，简化并摒除了所有这些无关紧要的表面特征。到了19世纪90年代初，这个转换时期进入到尾声。他创作于1893年、1894年、1895年的绘画、木刻以及平版印刷作品成为新运动在德国方面影响的一个综合表达，就像凡·高在1889年与1890年时的绘画与素描那样强烈而浓重，并且在面貌上已经完全不同了。

在绘画作品《呐喊》[*The Cry*]（见第83页插图）中，自然的信息减少到最低限度，只有海、山、沙滩以及堤岸。再多的东西也是无用的。这张尖叫的脸——我们甚至无从识别其性别——只能借助其强烈的表达需求来予以判断。尖叫的状态塑造了这张脸，而且借由看得见的声波弥漫于整个画面。因此，蒙克完成了他对唯一性及斯特林堡式[Strindbergian]的宇宙恐惧的象征表达。主题内容对他而言，也如同对托罗普及霍德勒那样重要。他绘画过《忌妒与青春期》

[*Jealousy and Puberty*]以及诸如《吻》[*The Kiss*]与《次日》[*The Day After*]这样的重要主题。但他从未表现得深奥玄妙或者冗长累赘或者耸人听闻，尽管在那些公开反叛的岁月里，他似乎许多时候都在疾病困扰的情况下创作。

但尤为重要的是他没有依赖于象征题材，从而令蒙克能够在艺术才能方面与凡·高的水平相媲美。这种特质在其风景画与肖像画当中体现的也同样强烈。无论他画什么，都能让我们感觉到自然所孕育的无穷无尽的力量。

至此，本文最为基本的问题便是，这里所讨论的画家所引领的新趋势是否也对现代运动中的建筑艺术风格产生同样的影响？在总结1890年的艺术家区别于他们的前辈的那些特征时，我们力图着重强调那些在当代建筑与装饰方面产生回响的那些绘画特征。

塞尚、高更、卢梭坚持以完整的平坦表面代替各种各样迷人的表面效果；霍德勒、蒙克、托罗普则带有韵律地描绘轮廓，以此作为一种更为感情强烈的艺术表达方式。浓烈的色彩与粗拙的造型代替了大量精细微妙的变化，构图上的僵硬设计代替了貌似闲恬如画的自由放任。重点不在于现实性，而在于样式的表现性；不是对自然实在的迅速观察，而是将抽象意义完美地转换到一个平面上。由于艺术家各自观点的不同，因而这一特征也就分别意味着严肃认真、虔诚善良、炽热激情，而不再是苦心孤诣或精擅工艺。亦即意味着，取代为艺术而艺术[art for art's sake]，艺术服务于较艺术自身更高的东西。

同时，类似的特点也出现在文学方面。这场运动远离自然主义与表面趣味，在最为宽泛的语言表达方面是相通的。[19] 这可以从比利时的梅特林克[Maeterlinck]（生于1862年）的《佩利亚斯与梅丽桑德》[*Pelléas et Mélisande*]（1892）中看到，[20] 以及英国人奥斯卡·王尔德[Oscar Wild]（生于1854年）的《莎乐美》[*Salomé*]（1893），还有德国人豪普特曼[Hauptmann]（生于1862年）从其《织工》[*Weavers*]（1892）到《汉纳莱》[*Hannele*]（1893）的突然转变，而在法国甚至早在魏尔伦[Verlaine]（生于1844年）、马拉梅[Mallarmé]（生于1842年）以及兰波[Rimbaud]（生于1854年）的作品中已看到。

但正如在绘画中那样，在文学上也产生了两种影响。象征主义也许是种力量，同时也是个弱点——一方面极力追求神圣性，而另一方面却流于装模作样。塞尚与凡·高处在一个方面，托罗普与赫诺普夫则处在另一个方面，前者是强烈的、自律的，并且令人感到激动不已，而后者则是软弱的、放任的，并且令人感到懒散。因此，一方引领着现实的未来，构筑起20世纪的现代运动，而另一方则步入新艺术运动的死胡同。现在，我们必须先来探讨下新艺术运动。

保罗·塞尚与绘画革命

佩夫斯纳将塞尚确认为19世纪90年代横扫欧洲绘画的“强烈变化”中最具影响力的一位推动者，当时这位艺术家远离印象主义运动，追求他个人的艺术经验。当中主要是以几何形式来组织自然，在他的绘画作品中反复描绘的这座圣-维克多山[Mont Sainte-Victoire]，他在艾克斯查德布凡的家中从窗口望去就可以看到。塞尚提出通过形式的重构“凝结印象主义”[solidifying Impressionism]，经过分析、巩固并且摆脱外部的视觉特质来达到。他试图“通过全是立体的圆柱形、球形以及锥形”刻画其创作题材——这种取向在后来的立体主义作品中有了更进一步的表达。佩夫斯纳完全赞同塞尚对于其作品的严谨与认真。在其生命最后的几十年里，塞尚极为专注于浴女的题材，创作了多幅这类绘画作品，当中最大的、因其构图中完美的几何形而最负盛名的那幅作品，可以在费城艺术博物馆里看到。

上图
塞尚：《自画像》，1879至1882年。

右图
塞尚：《圣-维克多山》，1890至1900年。

对页
塞尚：《荒野》，约1885至1887年。

象征主义运动

象征主义运动融合了当时在绘画、诗歌、哲学、科学以及音乐方面的发展进步。它是一场扩散至整个欧洲的国际运动，尽管其形式相当变化莫测。画家们组成了最为齐心的队伍，主要来自法国与比利时，包括（除了别的以外）古斯塔夫·莫罗[Gustave Moreau]、毕维斯·德·夏凡纳[Puvis de Chavannes]、费尔南德·赫诺普夫[Fernand Khnopff]、莫里斯·丹尼斯[Mauricc Denis]以及奥迪隆·雷东[Odilon Renon]。他们拒绝时务与混乱的社会现实主义，代之而探索在神秘且梦幻主题启发下的诗歌、古典而神圣的神话——例如俄狄浦斯[Orpheus]、萨福[Sppho]、莎乐美[Salome]以及施洗约翰[John the Baptist]——以及新的精神追求。其主题往往是奇异迷人、颓废堕落的，其色彩则是丰富多

左下图
莫罗：《帕西法厄》，1867年。

右下图
蒙克：《玛利亚》，1895年。

彩又豪华绚烂的。象征主义在文学上的倡导者——均受到了查尔斯·波德莱尔[Charles Baudelaire]深远的影响——斯特凡·马拉美[Stepané Mallarmé]、保尔·魏尔伦[Paul Verlaine]（他的诗部分受到德彪西[Debussy]与福雷[Fauré]作品的美妙音乐的影响），以及埃加德·艾伦·珀伊[Edgar Allan Poe]。亚瑟·兰波[Arthur Rimbaud]、J. K. 于斯曼[J. k. Huysmans]以及莫里斯·梅特林克[Maurice Maeterlinck]同样是象征主义美学的典型，对佩夫斯纳而言，这场运动缺乏像塞尚与凡·高作品中那种明显的活力与苦心孤诣，他坚称，他们将现代运动带入到“一个全新的未来”，而“软弱而且放纵的”象征主义者只会带领我们进入到他所谓新艺术运动的“茫茫前路”。

雷东：《维纳斯的诞生》，1905年。

阿帆桥学派

阿帆桥学派围绕着勇敢、不因循守旧的保罗·高更发展起来，并且寻求以伯纳德[Bernard]所引领的所谓“分隔主义”[*cloisonnisme*]风格替代片状色彩与印象主义转瞬即逝的自然，采用大片强烈、平坦、通常是阴暗的色彩，被浓厚的、黑暗的轮廓包围与描绘，从而增强了模棱两可的意象，并且创造出一种“平静的和谐”。塞律西埃的风景画《护身符》[*The Talisman*]（如图），总结了新的艺术自由。他们从记忆之中，而不是从真实的生活中寻觅创作灵感。高更建议他的追随者们“不要毫不节制地描绘自然”，“艺术是抽象的，从自然中提取，并以具有创造性的想象来获得”。因此，他们接近于象征主义者，捍卫着创造之中想象力的地位，而且我们知道高更贴了一幅毕维斯·德·夏凡纳[Puvis de Chavannes]《希望》[*Hope*]的复制品在阿帆桥小旅馆的墙上，之后又贴在了他

左下图
高更：《海边散步》，1902年。

右下图
高更：《约伯与天使搏斗》，1902年。

在塔希提岛的小屋里。高更在佩夫斯纳的名册里占据特别的位置，因为他是一位不但通过其艺术形式影响到设计，同时在工艺实践方面又富有经验的领袖型画家。1881年，在他辞去银行工作投身艺术之前，他曾用形状极为奇异的木雕嵌板装饰过一个橱柜。

高更对“19世纪生活的浅薄”不抱任何幻想，从而从欧洲前往马提尼克岛，后来又在1891年前往塔希提岛，他赞同那里的人们坚信自己的直觉与激情的生活态度。佩夫斯纳评论他的绘画具有“故意的原始性”[deliberate primitiveness]，并且在别处——又钦佩地——描述他的家具设计与诗歌“冷酷粗拙”得近乎“野蛮”。

塞律西埃：《护身符》，1888年。

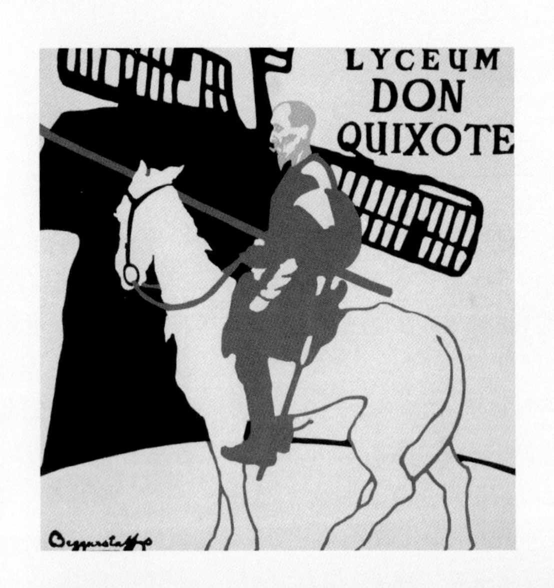

招贴艺术

佩夫斯纳把菲利克斯·瓦洛东[Felix Vallotton]看作是将“招贴转变成为艺术”的领袖之一。同样，这个日期——以1892年为例——有着重大意义。诸如亨利·德·图卢兹-劳特累克[Henri de Toulouse-Lautrec]、皮埃尔·贝纳德[Pierre Bonnard]以及西奥菲勒·斯泰恩纳[Théophile Steinlen]之类的法国艺术家，他们为“林荫大道美术馆设计”的所有招贴都采用简约、明艳的色彩。由亚历山大[Alexandre]与塔迪·纳坦逊[Thadee Natanson]创办于巴黎的一本新的、具有前沿性的杂志《白纸评论》[*La revue blanche*]，经常被认为是优美的，推动着现代“造型”[figurative]艺术的进步。它促进了新印象主义的传播，出版保罗·希纳克[Paul Signacon]有关色彩理论的论文，也出版高更描绘塔希提岛的插图。

斯泰恩纳因为蒙马特尔“黑猫”[Chat Noir]俱乐部设计的招贴而闻名遐迩，但绝对的色彩印刷大师无疑是图卢兹-劳特累克。在其作品当中，他运用强烈的、抽象的色彩与大胆的轮廓线，而且借鉴了日本的“浮世绘”[Floating World]，这种版画描绘即时的场景，包括商业的、猥琐的，或者色情的（场景）。在英国，乞丐兄弟（威廉·尼科尔森[William Nicholson]及其表兄詹姆斯·普赖德[James Pryde]）引领着这场运动，并且对招贴作为一种艺术形式的发展贡献重大。他们合作无间的成果——由简单形状的大块色彩组成灵活的构图，对正反空间之间清晰的分界线——两个方面的革新，其影响至今依然明显，尤其是在英国。

左图
图卢兹-劳特累克：《五彩纸屑》，1894年。

对页上图
乞丐兄弟：堂吉诃德招贴，1895年。

对页下图
斯泰恩纳：茶与巧克力公司招贴，1899年。

4 新艺术运动

如果这种细长的曲线令人联想到百合花的花茎、昆虫的触须、花朵的花丝，或偶尔也令人联想到细长的火焰；这种波浪形的、流动的曲线互相交叉，从画面的四角伸出，并以不对称的形式遍布整个画面，如果这些细长的曲线可以被认为是新艺术运动的主旨的话，那么，新艺术运动的第一件作品可以追溯到出版于1883年，亚瑟·H. 麦克默多撰写的有关雷恩设计的城市教堂[Wren' s City Churches]那本书的封面设计（右下图）。前文中我们曾经偶遇过麦克默多一次，他在1882年创立了世纪行会，世纪行会的艺术家们是最早追随威廉·莫里斯教义的群体，后文中我们还将再一次讨论他的建筑作品。在其漫长艺术生涯的早期，他对于所从事的任何专业领域都是一位真正的先锋者。他生于1851年，卒于1942年。近期许多研究都致力于这个令人惊叹的扉页的设计源泉，并由此追溯到新艺术设计的源泉。[1] 毫无疑问，麦克默多最直接的设计源泉主要来自前拉斐尔派的某些设计作品，整体的绘画或漫画风格来自伯恩·琼斯，而细节方面则来自罗塞蒂。罗塞蒂对布莱克的借鉴也同样毫无疑问。在此，19世纪早期和晚期最具原创性的作品被紧密地联系在一起。但新艺术运动在英国建筑和设计的“哥特风格”复兴运动中仍具潜力，它被认为是新艺术运动的第一步，正如哥特风格主义者的理论刺激了19世纪早期和晚期的改革者的理论一样。例如，威廉·伯吉斯于1875年至1880年在肯辛顿麦尔布里路为自己建造的中世纪风格的住宅，屋内的壁炉饰架就很能说明问题（右上图）。

麦克默多的大胆创举被其他设计师模仿，用于杂志和书籍的设计中，其中较著名的有查尔斯·里基茨[Charles Ricketts]和查尔斯·香农[Charles Shannon]于1889年创办的《日晷》[*Dial*]杂志。一些装饰设计师也立刻追随他，其中最突出的是海伍德·萨摩[Heywood Summer]。[2] 艺术与手工艺运动中，莫里斯的风格很容易被误解成早期新艺术运动的一部分。[3] 事实上，虽然本书中许多潮流都必须被分开阐述，但在当时它们并不是独立存在的。我们不应该忘记吉尔伯特和沙利文的名句“拙劣的多愁善感”以及“在他中世纪风格的手中的罂粟花和百合花”，但这并不是指全盛时期的新艺术运动，而是出自他1882年出版的著作《忍耐》[*Patience*]，比麦克默多关于雷恩教堂的书早出版一年。

在国外，这些运动的所有影响均始于1890年之后。总的来说，印刷商和插画家比设计师更受到人们的重视，但与他们相比，奥布里·比亚兹莱[Aubrey

上图
伯吉斯：其私宅壁炉，麦尔布里路，肯辛顿，约1880年。

下图
麦克默多：书名首页，1883年。

对页
高迪：巴特罗之家局部，巴塞罗那，1905至1907年。

左上图
比亚兹莱：《西格弗里德》，1893年。

右上图
托罗普：《三位新娘》，1893年。

Beardsley]又更加令人着迷，[4] 他卒于1898年，年仅26岁，只在他生命的最后八年里展示了他备受争议的才华。他以一位前拉斐尔派的晚期追随者开始了他的艺术生涯，并于1892年与该派分道扬镳，当时他正为《阿瑟王之死》[*Morte d' Arthur*]画插画。《西格弗里德》[*Siegfried*]（左上图）这幅插图是他独特又夸张手法的最典型例子，出版于1893年第一期的《画室》[*Studio*]。他对短C曲线、小花朵还有小点连成的线条的处理方法与其他的艺术家完全不同。比亚兹莱用精巧细致的装饰布满了树干和花茎以及妖魔的身躯，这种创作手法说明他毫不在意场景所展现的意义。他更关心的是高度人工的、精致的装饰手法，优雅的表现复杂的绘图术。所有这一切与西格佛里德无关，与瓦格纳无关，与前拉斐尔派、莫里斯和艺术与手工艺运动的严肃认真作风仅有微弱的联系。[5]

大家还记得上一章提到托罗普的插画《让路》，这幅作品可以明显看出在这些年代里他的作品与比亚兹莱在处理手法和绘画风格上的相似之处。他在两年之后（1893）完成的画作《三位新娘》[*The Three Brides*]（右上图），更清晰地表明他在人物构图方面具有新艺术运动的特点。我们且不去考虑画面内容的神秘瞬间，只需看看那些长长的曲线、细长的比例、花朵般柔美的身体和四肢、奇怪的歪斜着的人像侧面，就可识别出与比亚兹莱相同的英国艺术源泉，两人同样自觉地追求错综复杂、蜿蜒曲折、互相缠绕的画面效果。

我们再回到霍德勒的《天之骄子》，单纯从他喜爱的形式进行考察，可看出新艺术的特征：如图中天使的头发、长袍的细长线条、画面中央小树上的瘦长树茎、纤纤小手中的花朵以及这些小手弯曲的动作。同样的表现手法可见于丹尼斯的《四月》，蜿蜒曲折的构图线条以及前景中互相交织的曲线。

或以蒙克的《呐喊》为例（下图）。画中强调了那些连绵弯曲的曲线在表达情感方面的重要性。这在他1895年完成的石版画《圣母》[*Madonna*]中更为重要，这幅作品是根据1984年的一幅画作修改的。变形和扭曲的人物形象、波浪长发、背景中摇摆的线条，还有奇怪的画框上的胚芽以及漂浮的精子，所有这些表现形式均使得这幅作品成为新艺术运动中最杰出的画作之一，它脱离传统，富有独创性，引人注目，但画面所呈现出来的人物心智与价值颇受争议。但对于蒙克来说，他是一位心智健康、天性淳朴的画家，这仅是一个过渡阶段。他很快就摆脱了新艺术运动的矫揉造作，为了发展自己不朽的风格仅保留新艺术运动中真正的装饰特点。霍德勒也刚好如此。如果我们可以把他在19世纪90年代的风格也称为“新艺术运动”的话，那么，新艺术运动仅是作为他后来创作壁画和风景画时取得了清晰的装饰效果的一种手段而已。

蒙克：《呐喊》，1893年。

沙利文：会堂建筑，芝加哥，1888年。吧台。

但新艺术作为一场运动其范围并非仅局限于绘画，事实上，这个名词也完全不是指绘画法则。它往往是指装饰上短暂但非常重要的流行样式，如果在这里把画家和绘图师的作品优先于那些建筑师和设计师的作品进行介绍的话，那么，原因只是由于以下这两位创作者的第一批流行样式比上文提到的绘画、插图和其他门类的艺术出现要晚。

这两位创作者是指芝加哥的路易斯·沙利文和布鲁塞尔的维克多·霍尔塔[Victor Horta]。沙利文也许完全是原创的，而霍尔塔（1861—1947）对当下英国和欧洲大陆的艺术发展则是相当熟悉的。沙利文的装饰艺术并没有引起广泛关注，而霍尔塔的装饰艺术则风靡一时，几年时间席卷了欧洲大部分国家。沙利文是如何形成这些装饰纹样，如纠缠在一起的卷须草、甘蓝叶子、扇形叶子、珊瑚枝等等，这仍然是一个谜。这些装饰纹样是否受到格雷的《植物学》的影响？或谁能辨认出在这些纹饰的背后，甘蓝叶子的装饰形式是来自哥特植物叶子的复兴？或许我们可以从伯吉斯的壁炉中找到答案。[6] 当1888年沙利文为芝加哥会堂大厦做室内设计时，他的装饰风格已经很成熟了（上图）。这种风格又见于1890年至1891年的伯恩·玛丽夫犹太教堂[Anshe Ma'ariv Synagogue]，而在1903年至1904年的卡森·皮里·斯科特百货公司[Carson Pirie Scott]大楼则可见更广泛的使用。这一点由于各种原因，将在下文再详述。沙利文所尊奉的装饰艺术典型是："一种适用于由阔大线条组成的建筑结构的有机装饰"，[7] 因此如果不仔细考察他的流线型的装饰艺术，或忘记他设计的建筑物所具有的线条和体块的稳重简朴，那么我们将无法理解在上一章节中所讨论的他的朴素的功能主义理论。

这是沙利文有别于霍尔塔之处，霍尔塔即使不完全是，至少首先是一位装饰设计师。霍尔塔的代表作是他的第一座住宅设计，位于布鲁塞尔的保罗·埃米尔-詹森街[Paul-Émile Janson]6号，即原来的都灵街12号。这座住宅始建于1892年，其室内装饰，尤其是那令人难忘的楼梯设计完全是基于新艺术运动的主题之上，这种主题思想在上文分析麦克默多和比亚兹莱以及托罗普的设计时已有所论述。同样的卷须纹被绘于墙上，铺设在地板的马赛克上，弯成铁艺从上往下绕着整个扶手栏杆。尽管霍尔塔从不承认他依赖于英国的装饰艺术，但如果没有对世纪行会、《日晷》以及其他的英国装饰有深刻的了解，很难相信霍尔塔能设计出这些装饰图案。[8] 这与凡·德·威尔德不同，他是霍尔塔在追求新装饰风格中最重要的战友，他曾告诉作者，当霍尔塔看到托罗普第一批成熟的作品时，简直是欣喜若狂。

至于这些比利时年轻人与英格兰的关系，范·德·威尔德写道[9]：首先发现英国手工艺复兴的是A. W. 芬奇[A. W. Finch]（出生于1854年），芬奇本是一位画家，后来变成了陶艺师。他从英国买来几件家具，朋友们对此非常感兴趣。而在更早些时候（1884年），列日[Liège]的古斯塔夫·塞吕里耶-博韦[Gustave Serrurier-Bovy]已在英格兰居住一段时间了，此后他的家具明显地受到艺术与手工艺运动的影响。然而，塞吕里耶-博韦曾在1892年自豪地声称："他完全摆脱了旧风格或英国风格。"[10] 那时，新艺术运动已取得了很大进展。1891年在布鲁塞尔，一间名为日本公司[Compagnie Japonaise]的商店已开始出售英国现代墙纸和铁艺，1892年，"二十人"团体出现（一个年轻艺术家团体，后文将再次提及），展出了克兰、塞尔温·伊米若[Selwyn Image]的作品。塞尔温·伊米若是麦克默多的朋友，同时也是世纪行会的合作者。范·德·威尔德告诉我们，他已开始收藏英国装饰艺术的作品。范·德·威尔德提出，这种英国风格很快就会转化成比利时的东西。他说这些话的时候，明显是在暗指自己。因为他对于霍尔塔和保罗·汉卡尔[Paul Hankar，1861—1901]——继承了保罗·埃米尔-詹森街风格的第一人——涉及的部分总是完全保持沉默。[11] 然而，这无疑减损了范·德·威尔德的历史价值，事实上，他在比利时年轻的建筑师和设计师中是最全面、最冷静的。

霍尔塔：保罗·埃米尔-詹森街6号，布鲁塞尔，1893年。楼梯间。

我们已经认识到他是一位理论家。而作为一位艺术家，他开始绘画时临摹过巴比松和新印象主义风格。1892年，即他29岁那年，在威廉·莫里斯的指导下和阿帆桥学派[Pont Aven]的影响下，他放弃了绘画，致力于应用艺术。他设计墙纸、织锦、书籍装帧、家具等。第86页图中的椅子是他于1894年和1895年为自己在于克勒和布鲁塞尔的房子做的设计。这些椅子弧形的曲线属于新艺术运动的风格，但这些曲线的张力与霍尔塔富丽的优雅线条截然不同。在霍尔塔的作品背后，人们经常可感受到大自然的存在，如植物与动物的本性。范·德·威尔德的设计十分刚硬与抽象——至少理论上如此——旨在展示这件物品的功能，或这件物品某部分的功能。他后来将之称为“动力”[Dynamographique]，并界定为“结构性的”[structurizing]。他提倡装饰艺术应大部分建立在吸引与排斥的科学原理之上，就像工程师的设计一样绝不任意武断。在这里，可以看出他一方面赞美机器，另一方面又欣赏自己的艺术风格，他把这两方面联系在一起。[12] 而他那些在1900年前后过度装饰的大部分作品几乎很难让人联想到二者的关系。[13] 然而，当他1901年在柏林为哈比理发店[Haby's Barber shop]设计异想天开的室内装饰时，公众对于他设计的那些暴露在外的水管、煤气管、电线管等感到愤怒。柏林人对这种混合了新艺术和功能主义的奇怪形式提出批评：“你总不会把肠子像表链一样绕在你的背心上吧。”

在范·德·威尔德为于克勒[Uccle]住宅设计椅子时，功能主义是他考虑的首要因素。这种力与美的结合启发了E. 德·龚古尔[E. de Goncourt]创造一个完美的、预言式的新词“快艇风格”[Yachting Style]，这个词创造于范·德·威尔德的作品首次出现在巴黎时。范·德·威尔德的知名度是由于萨穆尔·宾[Samuel Bing]的缘故。萨穆尔·宾出生于1838年，是一位来自汉堡的画商，1871年，他移居巴黎，1875年开始游历远东。他曾在巴黎开了一间以销售东方艺术品为主的商店，并在纽约开设分店。1893年他受法国政府委派到美国进行访问，在他关于建筑和设计的汇报中对理查森和沙利文大加赞扬，并高度评价

范·德·威尔德：位于于克勒私宅中的椅子，布鲁塞尔附近，1894至1985年。

了机械的力量“纯形式趣味的广泛趋势”[*vulgariser à l' infini la joie des formes pures*]，1895年12月26日在普罗旺斯路开了一家现代艺术商店并命名为“新艺术之家”[L' Art Nouveau]。[14] 萨穆尔・宾和德国艺术批评家朱利叶斯・迈耶–格雷夫[Julius Meier-Graefe]一起，使范・德・威尔德在于克勒的房子广为人知，萨穆尔・宾邀请威尔德为他的商店设计了四个房间。这件事在法国立刻出现两种反响：一边是狂热的支持，一边是在奥克塔夫・米尔博[Octave Mirbeau]带领下的激烈批评。奥克塔夫・米尔博在《费加罗》[*Figaro*]上写道：“可怕的英国式、迷幻的犹太式、虚伪的比利时式混合成一道有毒的沙拉[*L' Anglais vicieux, La juive morphinomane ou le Belge roublard, ou une agréable salade de ces trois poisons*]。”更有激进的反对者警告设计师不要受到迷惑，并指出法国工业艺术所获得的优越商业地位是由于它们一直保持着18世纪各种传统。而新风格的支持者则指出，几位法国艺术家各自独立创作这类风格已有一段时间了。例如，进行玻璃艺术创作的埃米尔・盖勒[Émile Galle，1846—1904]和进行陶瓷艺术创作的奥古斯特・德拉埃尔什[Auguste Delaherche，1857—1940]是这一领域最重要的两位艺术家。事实上，早在1884年，盖勒就开始完整地展出一种不全是精美的维多利亚风格和梦幻色彩的玻璃艺术。[15] 其造型（右上图）基于盖勒深信大自然是手工艺人获得灵感的唯一合理来源，这一点与我们已提到的沙利文和范・德・威尔德的“有机”的观点有相似之处。

上图
盖勒：玻璃瓶。

盖勒所制作的陶瓷在1895年萨穆尔・宾的艺术品商店展出它们之前，其影响就已相当广泛。早在1893年，纽约的路易斯・康福特・蒂凡尼[Louis Comfort Tiffany，1848—1933]公司就已开始制作盖勒的法夫赖尔[Favrile]玻璃作品（右下图）。[16] 萨穆尔・宾在访问美国期间，蒂凡尼对他产生了很大的影响。在德国，卡尔・寇宾[Karl Koepping，1848—1914]最迟在1895年生产了精致、脆弱、细长的玻璃器皿。[17]

下图
蒂凡尼：玻璃瓶。

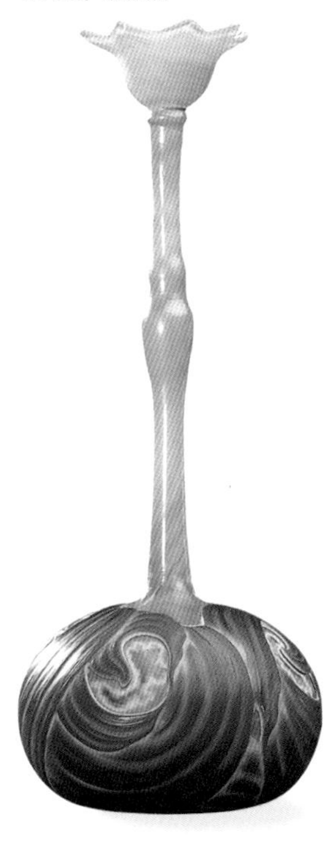

在1895年和20世纪初的几年时间里，法国的新艺术运动和比利时的一样流行。1895年，一些年轻的建筑师和手工艺人成立团体并命名为“五人”团体[Les Cinq]。其中一位建筑师是出生于1871年的托尼・塞尔莫斯汉[Tony Selmersheim]。1896年，查尔斯・普伦密特[Charles Plumet，1861—1925]加入团体，“五人”团体变成“六人”团体[Les Six]。“六人”团体举办展览，并把展览命名为“无所不在的艺术”[*L' art dans tout*]。他们的作品毫无疑问属于新艺术风格，但他们的作品并不像比利时设计师或巴黎家具设计师尤金・盖拉德[Eugène Gaillard]，或南希的设计师如路易斯・马约尔[Louis Majorelle，1867—1926]和奥古斯汀・多姆[Augustin Daum，1854—1909]那样原创与纯正。

在建筑领域，最有意思是法国人赫克托・吉马德[Hector Guimard，1867—

吉马德：贝朗榭，勒·芳丹路16号，帕西，巴黎，1894至1898年。

1942]，他最著名的建筑作品是设计于1900年的巴黎地铁站入口，高度采用新艺术运动风格。[18] 他早期著名的建筑设计是位于巴黎勒·芳丹路16号的贝朗榭[Castel Béranger]。这些房子建设于1894年至1898年间，虽然建筑艺术上没有霍尔塔在都灵的私人住宅那样有价值，但它们的细节装饰得更为自由，尤其是门上的铁艺作品。

新艺术运动与铁艺确实存在着特殊的关系。在建筑立面上使用铁艺并非新鲜事，有关它的功能将在下一章进行论述。铁艺用于装饰建筑立面的优点也并非是19世纪晚期的新发现。我们可以从最早使用铸铁工艺的大桥——1777年的煤溪谷[Coalbrookdale]大桥（见第106页），早期复兴哥特教堂使用的铸铁窗格，到巴尼［Bunning］在伦敦的煤炭交易所[Coal Exchange，1847—1849]大量使用的铁艺装饰（见第113页）[19] 和牛津大学美术馆[Oxford Museum，1857—1860]，再到维奥利特-勒-杜克[Viollet-le-Duc]出版于1872年的《对话录》[*Entretiens*]第二册的插图和文本内容中，铁制的蔓藤和树叶与铁制肋穹顶［vaulting-ribs］同时出现，一个是利用了铁的张力，另一个则是利用了铁的延展性（见第114页）。维奥利特对于铁艺装饰的建议无疑成为霍尔塔在保罗・埃米勒・詹森大街的塔塞尔公馆的首要源泉，并使得他设计的位于布鲁塞尔的民众之家[Maison du Peuple，1896—1899]成为整个新艺术运动风格铁艺作品的代表作，后来保罗・桑德努瓦[Paul Saintenoy]追随霍尔塔于1899年在布鲁塞尔设计老英格兰商店，弗朗茨・乔尔丹[Frantz Jourdain]于1905年在巴黎设计莎玛丽丹百货公司大楼[Samaritaine Store]均采用了铁艺装饰。

现在看来法国在这一方面以及有关新艺术运动的其他方面依赖于比利时基本上是可以确认无疑的。[20] 有趣的是，虽然德国晚于比利时加入新艺术运动的行列，但德国的优秀艺术品却毫不逊色。在1897年德累斯顿展举办前两年，即1895年，范・德・威尔德开始在德国出名，一群年轻的德国艺术家也开始怀有与威尔德相似的艺术目的。[21] 在此，我们只能略举几位。[22] 在1895年到1898年期间，奥托・埃克曼[Otto Eckmann]和霍尔曼・奥布里斯特[Hermann Obrist]是最有趣的两位人物。在这之后，维也纳分离派处于领导地位。直到1894年，埃克曼（1865—1902）之前是一位画家[23] ，而现在他就像莫里斯和凡・德・威尔德一样，改变了职业。他烧毁了全部的绘画作品，开始从事设计工作。1895年，迈耶-格雷夫的德国现代艺术与文学杂志《潘神》[*Pan*]获得成功后，埃克曼为杂志的内页设计了几版装饰（见第90页右插图）。他的装饰与霍尔塔和范・德・威尔德的完全不一样，但同样是独创的、生动感人的，是新艺术运动风格的典型代表：平面化的图案与长长的曲线优雅地交织缠绕在一起，各种和谐的线条互相缠绕，充满了乐趣。

埃克曼站在了盖勒信仰大自然的这一边，反对范・德・威尔德。他采用叶子和花茎作为装饰的主题，而范・德・威尔德则采用抽象形式进行装饰。范・德・威尔德和埃克曼以及他们的门徒之间的差异早在1903年就已被注意到了。[24] 对于埃克曼一开始从何处获得这些灵感，人们并不十分清楚。当他开始从事装饰设计时，他并不认识范・德・威尔德，但他一定知道英国里基茨[Ricketts]和比亚兹莱的装饰艺术书。我们也没有他与盖勒相关的信息。但值得

左上图
范·德·威尔德：《佩利亚斯与梅莉桑德》剧院海报，1893年。

右上图
埃克曼：《潘神》杂志装饰，1895年。

一提的是，托罗普于1893年在慕尼黑展出作品，还有柏林著名的蒙克展，这个展在1892年引起了许多争议。

前面已提过奥布里斯特（1863—1927）后来对机器艺术产生极大的兴趣。1892年，奥布里斯特在佛罗伦萨开了一间刺绣工坊，后来工坊于1894年搬到了慕尼黑。他设计的靠垫以及帘上的装饰图案不像比利时人和法国人设计的那么抽象。但他最喜爱的形式是那些能隐约使人联想到大自然的特殊样式，如花茎、贝壳、爬行动物的锯齿状硬壳，还有泡沫。[25]

他对恩德尔[Endell]的影响非常明显，具有历史性的意义。任何介绍新艺术运动的设计如果没有提到恩德尔，无疑是不够全面的。然而，他对推进现代艺术运动的贡献比对新艺术运动的贡献要重要得多。由于相同的原因，恩德尔和另外两位最有趣的新艺术运动设计师，维也纳的欧尔布里希[Olbrich]和英国的麦金托什[Mackintosh]将会在后面章节中叙述。[26]

就英国而言，我们也许已经注意到了，她在19世纪80年代创造了自己的风格之后，就消失在大众的视野中。主要的原因是自新艺术运动成为时尚之后，就与其分道扬镳。1900年，当欧洲大陆的新艺术运动在英国维多利亚与阿尔伯特博物馆展出时，一封由三位诺曼·肖流派的建筑师带着对艺术与手工艺运动同情的联合签名反对信直接邮寄到《泰晤士报》，信中指出，这些作品在原则上是错误的，而且缺乏“与材料的关系”。[27] 此外，刘易斯·F. 德艾指出，新艺术运动“展示了一种明显的病症”。[28] 而沃尔特·克兰则提到：“新艺术运动是一种奇怪的装饰病。”[29] 这实际上是很值得注意的事（毫无疑问是由于民族特征的因素）。英国的艺术与手工艺运动和欧洲大陆的新艺术运动的功能在很大程度上是相同的。两者均是历史主义向现代主义运动的“过渡”，目的同样是复兴手工艺和装饰艺术。因此，在欧洲大陆上，它们并非互相对立，而是作为一个整体出现，那些主张新艺术运动的人往往也会拥护艺术与手工艺运动，这一点只要看看欧洲大陆举办的装饰艺术展和开办的装饰艺术杂志就一目了然。

事实上，我们可以通过忽然出现的许多杂志和展览看出欧洲大陆的复兴手工艺和装饰艺术的气势。这些杂志中首先出现的是英国的《画室》，该刊创办于1893年，就在英国对欧洲大陆产生影响的前夕。在1893年到1894年间，该杂志讨论过的艺术家有：比亚兹莱、克兰、沃伊齐、托罗普、赫诺普夫。其他文章还谈及新式家具、法国文艺复兴瓷器、慕尼黑分离派、英国新艺术俱乐部。欧洲大陆的第一本杂志《潘神》于1895年在德国出版。两位编辑中的一位是我们已经知道的迈耶-格雷夫，也是发现范·德·威尔德的人，他于1897年开了一间名为“现代艺术之家”[La Maison Moderne]的商店，与萨穆尔·宾在巴黎的“新艺术之家”形成竞争。[30] 在《潘神》的带动下，出现了许多重要的支持者和响应者，其中最重要的是里希瓦克和卡尔·寇宾。1897年，有两本讽刺杂志面世，《新青年》[*Jugend*]和《同步画派》[*Simplizissimus*]。1897年，《艺术与装饰》[*Art et décoration*]和《装饰艺术》[*L'Art décoratif*]在法国创刊，德国也有《德国艺术与装饰》[*Deutsche Kunst und Dekoration*]和《装饰艺术》[*Dekorative Kunst*]两本杂志。同年，巴黎对《装饰艺术评论》[*Revue des arts décoratifs*]进行改革。一年之后，这些介绍维也纳分离派的书开始出现了，维也纳分别出版了《艺术和手工艺》[*Kunst und Kunsthandwerk*]和《春之祭》[*Ver Sacrum*]。一年之后，俄罗斯以一本《艺术世界》[*Mir Isskustva*]出现在这个行列中。[31] 这些期刊讨论的例子将有助于我们了解那时各种各样的兴趣范畴。在开始的头几年里，《潘神》发表了魏尔伦、马拉梅、德默尔[Dehmel]、利林科农[Liliencron]、斯拉夫[Schlaf]的诗歌，柯林格[Kinger]、冯·霍夫曼[von Hofmann]、斯达克[Stuck]的插画，艾克曼、海涅[Th. Th. Heine]的装饰，芒蒂[Munthe]、奥布里斯特、蒂凡尼的文章，克兰、汤森德[Townsend]、沃伊齐的设计。《装饰艺术》和《德国艺术与装饰》发表了文章讨论英国灯具、哥本哈根瓷器、沃伊齐的设计以及恩德尔和萨穆尔·宾的论文，发表了范·德·威尔德、汉卡尔、莱门[Lemmen]、塞吕里耶、普伦密特、布朗温[Brangwyn]、阿什比、科布登·桑德森等人的插画作品，以及斯蒂芬·乔治 [Stefan George] 诗集的插画师梅尔基奥·莱希特[Melchior Lechter]的插画作品。法国的《装饰艺术》讨论了范·德·威尔德和霍尔塔的作品，还讨论了布鲁塞尔的自由美学[La Libre Esthétique]，英国的艺术与手工艺运动，拉里克[Lalique]早期的玻璃，普伦密特和塞尔莫斯汉的家具。同时，英国的《画室》杂志为蒂凡尼、普伦密特、奥伯特[Aubert]、塞尔莫斯汉以及几位德国新艺术代表们的作品作插图。《艺术世界》在其头一年里或刊登或讨论了比亚兹莱、布朗温、伯恩–琼斯、德拉埃尔什、寇宾、瓦洛东以及惠斯勒等人的作品。[32]

在展览方面，英国再一次位居榜首。艺术与手工艺展览协会在1888年、1889年、1890年、1893年、1896年间展示了艺术家们的手工艺作品。在巴黎，战神广场沙龙[Paris the Salon du Champs de Mars]于1891年首次把装饰艺术与架上绘画同时展出。[33] 同一年，独立沙龙[Salon des Indepéndants]展出了高更三件瓷器作品以及一件木浮雕。[34] 然而，在欧洲大陆最大胆的展览是由布鲁塞尔“二十人”[Les Vingt]团体带来的展览，后来该团自1894年后改名为“自由美学”。[35] 他们早在1884年就已展出了克诺普夫[Khnoff]、恩索尔、惠斯勒、利伯曼[Lieberman]的作品，1885年展出伍德[Uhde]、曼奇尼[Manzini]、克罗尔[Kröyer]的作品，1886年展出了莫奈、雷诺阿、伊斯雷尔斯[Israels]、蒙蒂切利[Monticelli]、雷东的作品。一些艺术家诸如雷诺阿和惠斯勒，恩索尔和雷东同时出现在展览上，展示了他们如何把印象派和后印象派奇怪地混合在一起，并对欧洲各国产生影响。1887年，“二十人”团体邀请西克特[Sickert]、修拉参与展出；1888年，邀请了图卢兹–劳特累克和希纳克[Signac]；1889年邀请了高更、史提尔[Steer]、克林格[Klinger]；1890年，邀请了塞尚、凡·高、塞冈蒂尼[Segantini]、西斯莱[Sisley]、明尼[Minne]；1891年，邀请了克兰和拉尔森[Larsson]。1892年，他们首次展出了彩色玻璃、刺绣、德拉哈切陶瓷[Dalaherche]、霍恩[Horne]插画书。在这之后，1894年的展览有比亚兹莱和托罗普的作品，莫里斯的墙纸和纺织品设计，阿什比的银器，凯尔姆斯科特出版社的书籍，劳特累克的海报，塞吕里耶设计的整套工作室室内设计；1895年展出了沃伊齐的作品。最后，1896年范·德·威尔德展出了一个名为“五点大厅”[Salle de five o’clock]的全套作品。同时，艺术工作[L’Oeuvre artistique]邀请弗朗西斯·纽伯里[Francis Newbery]及其领导下的格拉斯哥艺术学院[Glasgow School of Art]到比利时列日市举办展览。这个展览同时展出阿什比、伯恩–琼斯、克兰、莫里斯、萨姆纳[Sumner]和汤德森等人的作品。[36] 两年之后，首个类似的展览在德国举行。1897年慕尼黑的玻璃宫[Glaspalast Exhibition]留了两个小房间专门展出应用艺术。参与展出的艺术家有埃克曼、恩德尔、奥布里斯特、特奥多尔·费舍尔、杜尔夫[Dülfer]以及李默斯密特。一个更为大型的展览是德累斯顿的展览，也举办于1897年，主办机构把萨穆尔·宾的整个艺术品商店的作品按类别整理参与展出。

高迪：圣科洛玛教堂地下室，始建于1898年。

这个商店前面已一再提到标志了新艺术运动在巴黎的兴起。它的名字叫“新艺术之家”，这个名字也就是整个运动的名字，至少在英国和法国是如此。在德国称之为“Jugendstil”（青年风格），取自单词“Jungend”（青春），前面已说过，也在1896年开始被采用。在意大利被称为“Stile Liberty”（自由风格），那就更奇怪了，来自自由商店[Liberty’s]，这家商店在伦敦的西岸街经营家具和服装，到19世纪90年代，他们开始经营适用于新艺术主题的材料和颜料。因此，完全是由于巧合，“自由”“青春”“新奇”开始一起出现在这个短暂的运动中。

“新奇”与这场运动紧密相连，而“自由”至少是这场运动的许可证。但是，以隔了至少两代人的距离来看，新艺术是否真的具有一副年轻的面孔，仍值得怀疑。对于一场革命来说，它的繁复性与精致性让人怀疑，而更让人怀疑的是它完全与社会脱节。前阵子，它被认为是维多利亚风格与现代运动的过渡风格[Transitional style]，在这方面，它曾经被拿来和英国的艺术与手工艺运动相比。但是艺术与手工艺运动是以威廉·莫里斯的指导为基础，并为艺术家的社会地位和更健康的设计态度而奋斗。新艺术运动则是“极端地”[outré]把它的诉求直接指向美学，在此，新艺术运动已经做好准备以接受“为艺术而艺术”这一危险的原则。在一点上，新艺术运动强调19世纪的艺术样式，即使一再狂暴地坚持以前所未有的艺术形式出现，超过了19世纪之前的历史主义。一种普遍被认可的风格不可能仅靠自身的努力而得以流行。这种风格在相同的年代里，以更谦逊、更安全的方式在英国孕育。

但是，正如预料中的一样，新艺术运动在19世纪晚期艺术与建筑发展边缘的国家取得了最高成就，而这个国家的社会环境完全没有任何变化。安东尼·高迪[Antoni Gaudí，1852—1926]的工作几乎扎根在巴塞罗那或其周围。[37] 他一开始是一位高度个人化的哥特式复兴主义者。维奥利特·勒·杜克的《对话录》毫无疑问他是知道的，但是在阿斯托加[Astorg，于1887至1895年担任主教]主教堂的哥特式宫殿中，高迪的建筑风格已显露无遗，虽然这座宫殿实在是很糟糕。在装饰细节上，在1878年至1880年兴建的巴塞罗那文森之家[Casa Vicens]那可怕的细长而尖的大门，他的创新精神与伯吉斯位于穆尔布里的房屋的现代细节一样具有异曲同工之妙。随后与麦克默多十分相似，但与其他欧洲艺术家大异其趣的是，他开始在他的赞助人欧塞维奥·古埃尔[Eusebio Güell]的别墅入口处使用大胆的任意曲线，欧塞维奥·古埃尔是一位制造商，并知晓英国的工艺美术运动。

1898年，高迪达到了创作成熟期，他第一批成熟的作品分别创作于1898年和1900年，都是为古埃尔设计的。就是在古埃尔庄园[Colonia Güell]里，在那座令人惊叹、迷人又令人恐惧、独特的圣科洛玛教堂[Santa Coloma de Cervelló]（见第93页图）中，教堂的墙壁首次有了动感，而窗户出现在最意想不到的位置并以最随意的形式出现，柱子或弯或直，工人们被鼓励以粗糙概括的形式来建造教堂。古埃尔公园[Parque Güell]（见对页右下图）的概念源自新英国的郊区公园、城市公园的概念，而这些概念会促使我们关注另一个更普通的文脉。高迪设计的小屋具有很多细节，如尖塔和无处不在的东方主义，蜿蜒曲折的护墙，像18世纪遗留下的废墟一样粗糙的石制回廊，像木柱一样支撑着墙的错位排列的多立克柱子，而所有这些设计手法均超出了西方新艺术风格的范畴，只有在这个短命的艺术风格中，才能被理解。这是对标新立异的疯狂渴望，是对个人创意的信仰，是对随意曲线的偏爱，是对挖掘材料潜能的强烈兴趣。高迪尽可能地避免使用常规的材料，而是使用破瓦片、旧杯子、碟子来装饰护墙，同样奇特的材料用在了后来的圣家族大教堂[Sagrada Familia]的尖塔上。

圣家族大教堂始建于1882年，一开始的计划是复兴哥特风格。1884年，高迪开始负责这个项目，开始时他遵守并深化了这个传统的设计方案。从耳堂的东立面（见左下图）一个楼层到另一个楼层，我们可以看到高迪如何把哥特式风格变得越来越创新，以及在1900年之后，他如何放弃哥特式而转向他最喜欢的新艺术风格，这些创新风格在某种程度上，可媲美同时期的英国艺术与手工艺运动中的哥特风格（如约翰·赛德宁和卡罗[Caröe]）。四根糖条式[sugarloaf]的尖塔具有明显的突尼斯风格，这些令人惊叹的虚与实的图案，以及更加令人惊叹的小尖塔的外形构成了高迪勇敢无畏的永久的纪念碑。

巴塞罗那人出资建造了这座教堂，他们信任高迪并准备好了支持这个如此神奇的设计，如此怪诞的建造方法——由于高迪几乎每天都在现场，并且和工人沟通、定好每一个细节——这让人想到高迪之所以可以毫不妥协地发展新艺术风格，这与他所处的环境相关，这种环境与伦敦、巴黎、布鲁塞尔大相径庭。更令人惊讶的是，同样不妥协的新艺术风格被用于公寓楼中（见右下图）。谁愿意住在这种弯曲形状的房间里？屋顶就像恐龙的背一样，墙又弯又凸，非常危险，而阳台上的铁艺任何时候都可能刺伤你，谁会？一位彻底的唯美主义者抑或高迪和毕加索的追随者？

高迪的艺术实际上是某些理智的建筑师和设计师放弃了新艺术运动很久后出现的一朵奇葩，是19世纪90年代的反抗精神和早期表现主义的拼贴画，毕加索的表现主义陶瓷，以及1950年疯狂创新的建筑艺术的过渡。朗香教堂[Ronchamp]（见第165页）比起本书提到的现代风格，与圣家族教堂则有更多相似之处。而现代风格的早期发展才是本书的主题所在。

左下图
高迪：圣家族大教堂尖顶，巴塞罗那，1903年至1926年。

右下图
高迪：古埃尔公园，巴塞罗那，始建于1900年。

维克多·霍尔塔

佩夫斯纳指出维克多·霍尔塔（1864—1947）即使不完全是一位装饰设计师，也非常重要。在19世纪90年代，这位杰出的年轻建筑师的视觉语言，动态的线条和丰富的花饰，改变了比利时首都的面貌。他设计的流线型私人房屋如塔赛尔宅邸[Tassel House]，和公共建筑如引人注目的“人民之家”[Maison du Peuple]，结合玻璃幕墙和麻花铁柱，体现出强烈的现代主义风格。在室内设计方面，他的独创性与创新精神更为突出，他使用优雅的“螺旋线”[coiled line]联结建筑的室内和陈设，创造连贯性的流动空间，这已成为他的标志。他的设计，重复枝形吊灯、柱顶、天花板支柱，还有一些家具的曲线，被认为是新艺术运动的杰作。

上图
霍尔塔：埃德维尔德旅馆新艺术门装饰，1895年。

右图
霍尔塔：索尔维旅馆护栏，布鲁塞尔，1894年。

亨利·范·德·威尔德

比利时画家、理论家、建筑师、家具设计师亨利·范·德·威尔德是以“线条威力”或新艺术运动为基础的新艺术语言的重要倡导者。作为“二十人”团体的成员，他为了应用艺术而放弃了绘画，并且通过他的设计和著作提倡新艺术运动的抽象装饰语汇。他提出了“生动的线条”的概念，设计的每一个部分都必须符合心灵感受（如平静、兴奋、惊讶、放松）的原则。我们可在他设计的门把手和家具中，完整的房屋的室内平面图和私人住宅的建筑委托中，看到弯曲的线和流动的有机体，这诠释了流动的弹性。他的多才多艺延伸到书籍插画、海报设计、凸版印刷、银器和首饰的与众不同的抽象曲线设计。

范·德·威尔德：《挂在墙上的天使》，1893年。

路易斯·康福特·蒂凡尼与埃米尔·盖勒

美国的玻璃师、珠宝商、设计师、企业家路易斯·康福特·蒂凡尼（1848—1933）最初接受绘画训练，后来以室内装饰设计师的身份而享有盛誉（他的顾客包括马克·吐温、科内利乌斯·范德比尔特二世[Cornelius Vanderbilt Ⅱ]和亚瑟总统，他还为亚瑟总统装饰白宫的红厅与蓝厅[Red and Blue Rooms]）。1885年，他成立蒂凡尼玻璃公司[Tiffany Glass Company]，自己则作为高度原创玻璃师而声名远播。1892年，他为了给他的玻璃公司提供金属配件、基底，在纽约的蒂凡尼工作室[Tiffany Studios]成立了一间铸造厂。玻璃公司生产灯、书桌、烛台、金属器皿、珐琅，还有一些充满想象力的、造型奇特的花瓶。碗和刻花玻璃或用花卉图案装饰，或用抽象的、流动的线条装饰。

左下图
蒂凡尼：香水喷瓶设计，1896年。

右下图
蒂凡尼：雪球花窗构件，约1904年。

左图
《埃米尔·盖勒肖像》，1909年。

下图
盖勒：蚀刻装饰琥珀色玻璃器，1900年。

他制作玻璃的经验使得他开发出一种闪闪发光的彩虹般的缎面抛光效果，1893年，他专门为这种技术独创了一个术语“法夫赖尔”[Favrile]。埃米尔·盖勒（1846—1904），另一位多才多艺的独行者，是新艺术运动领域的耀眼明星。1894年，他接管了他父亲在南希的玻璃厂，并开始运用他的东方玻璃知识进行制作，于19世纪90年代在国际上崭露头角。正如蒂凡尼为了追求特殊的效果并改变半透明的背景而使用珐琅与颜料一样，盖勒用珐琅和颜料做实验，创造了属于他自己的被称为“月光”[*clair de lune*]的浅蓝色玻璃，并因此而闻名。同时，他也在玻璃浮雕上雕刻或绘制蜻蜓、蜘蛛、花朵。1885年，他在玻璃厂增加了橱柜制作和家具镶嵌细工工作室，开始生产家具。

有影响的杂志

佩夫斯纳展示了专业杂志的出版如何促进装饰艺术的发展，并更加迅速地推动新的艺术运动向前发展。这些杂志中最早出现的是：1893年在英国出版的《画室》，杂志专门发表艺术家个人的文章，如比亚兹莱、沃尔特·克兰、查尔斯·雷尼·麦金托什以及自由商店的新家具风格，或欧洲大陆的应用艺术发展潮流。很快，一本欧洲大陆的期刊《装饰艺术》与《潘神》（由德国新艺术运动的主要传播者之一和朱利叶斯·迈耶–格雷夫共同编辑）在《画室》之后迅速出版，这两本杂志是德国仅有的两本在19世纪90年代晚期走向市场的杂志。《艺术世界》开始出现于俄罗斯，维也纳的《春之祭》在1898年发行，目的是通过高标准的绘画和文学作品倡导及宣传"分离派"作品。这些艺术杂志出版象征主义诗人（如保罗·魏尔伦和斯特凡·马拉梅）的诗歌，亨利·范·德·威尔德和查尔斯·阿什比的文章，设计师（如亚瑟·斯维尔[Arthur Silver]和沃伊齐）的谈话录，才华出众的莱纳·马里亚·里尔克[Rainer Maria Rilke]的文章。更重要的是，杂志里布满了设计师们的作品插图，如蒂凡尼、克里斯托弗·德莱塞、勒内·拉里克[René Lalique]、伯恩–琼斯以及惠斯勒，为提高艺术品位提供了一个重要的渠道。

克里姆特：《春之祭》杂志插图，1901年。

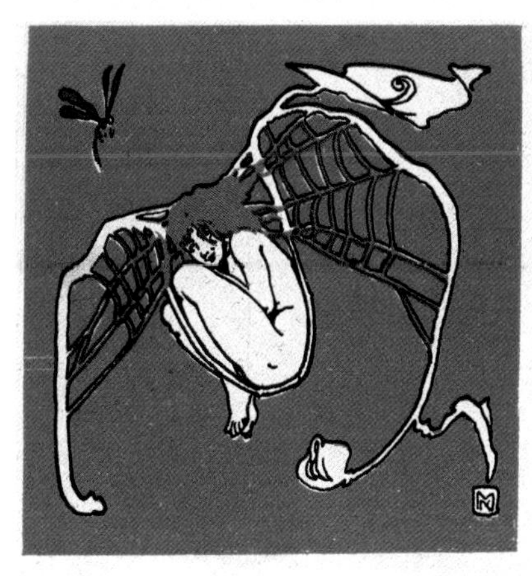

左上图
霍夫曼：《春之祭》，首届维也纳分离派展览，1898年。

左下图
《潘神》杂志艺术评论海报，1895年。

下图
比亚兹莱：《画室》杂志首款主题设计，1895年。

THE STUDIO

AN ILLVSTRATED MAGAZINE OF FINE AND APPLIED ART.

No. 30. CONTENTS. Sept., 1895.

The ETCHINGS of D. Y. CAMERON,
SIX ILLUSTRATIONS.

Quebec as a Sketching Ground,
By B. G. GOODHUE. SEVEN ILLUSTRATIONS:

A Painter in the Arctic Regions,
Interview with FRANK W. STOKES.
FIVE ILLUSTRATIONS.

Another Word on the Poster,
By ARTHUR FISH. FIVE ILLUSTRATIONS.

OCCASIONAL NOTES,
THREE ILLUSTRATIONS.

A Japanese Course of Instruction in Wood Carving (Final Article), by the Editor.
EIGHTEEN ILLUSTRATIONS.

NEW PUBLICATIONS.

Awards in Prize Competitions,
NINETEEN ILLUSTRATIONS.

THE LAY FIGURE AT HOME.

EIGHTPENCE OFFICES: 5, HENRIETTA ST COVENT GARDEN, LONDON MONTHLY

5 19世纪的工程学与建筑

现代运动并非仅仅来自一个根源。其中一个根源就是威廉·莫里斯和艺术与手工艺运动；另一个是新艺术运动。19世纪工程师的作品是现代风格的第三种根源，这与其他两种根源同等重要。[1]

19世纪的工程建筑在很大程度上是建立在炼铁工业发展的基础之上，最初是铸铁，然后熟铁，最后是钢。19世纪末期，钢筋混凝土出现了，成为另一种选择。

铁作为材料的历史仅是建筑辅助性材料，18世纪50年代以后，工业革命发现了铁可用于工业生产。[2] 铁很快被试图用于代替木材和石材。第一个记载在册的案例像是一个怪物，葡萄牙阿尔科巴萨[Alcobaça]的铸铁柱子承载着烟囱，时间是1752年。18世纪70年代和80年代期间，更多的铁结构被法国使用，1779至1781年，苏夫洛[Soufflot]把铁用在了卢浮宫的楼梯上；1785至1790年，维克多·路易斯[Victor Louis]把铁用在巴黎大皇宫的戏院里；如果雷纳迪[Rinaldi]在圣彼得堡的奥尔洛夫宫[Orlov Palace]中真的使用了铁梁，这是否就说明先于意大利或法国已有了先例，对此我们仍需进一步求证。英国有一些相似的案例，如英格兰银行[Bank of England]索恩证券所[Soane's Stock Office]的铁质天窗（1792），詹姆斯·怀亚特[James Wyatt]的基佑宫[Palace at Kew]（1801），纳什[Nash]在什罗普郡亚丁汗公园[Attingham Park]的图片画廊设计的铁和玻璃穹窿（1810），福尔斯顿[Foulston]设计的普利茅斯皇家剧院[Theatre Royal at Plymouth]（1811—1814），剧院的木头都被替换成铸件和熟铁。在欧洲大陆方面，路德维希·卡特尔[Ludwig Catel]早在1802年就建议用铁材料来建设柏林国家剧院的屋顶；1806年，拿破仑希望纪念其伟大军团[*grande armée*]的大宫殿能够摒弃木头，整个用石头和铁建造。1820年之后，相似的案例举不胜举。在伦敦，史莫克[Smirke]于1824年在伦敦的大英博物馆[British Museum]的早期工程——国王图书馆[King's Library]中使用铁梁屋顶。1827至1828年，铁梁同样使用在伦敦的威尔金斯大学[Wilkins University]上。教堂方面，伦敦的南沃克教堂[Southwark Cathedral]的石拱顶同样使用铁屋顶，可能在1822年到1825年间；而卡特教堂[Chartres Cathedral]则在1836年到1841年间使用了同样的结构。

以上这些案例中，铁代替木纯粹是为了实用目的，而非美学上的原因。建筑上也是如此，厂房的铁制框架结构在建筑发展上更为重要。最具创意头脑的是德比[Derby]的纺纱工威廉·斯特拉特[William Strutt]，他曾经是理查德·亚克

对页
莫奈：《圣拉扎尔火车站》，1877年。

莱特[Richard Arkwright]的合伙人，我们在第二章已经提到过理查德发明了水力纺纱机。1792至1793年，他们在德比建立了六层楼高的工厂，工厂里出现了铁柱。这间工厂现在已不复存在了；但是在德贝郡米斯福尔德，斯特拉特修建于1793年的被称为“十字形建筑”[Cruciform Building]的仓库里，可看到支撑着木梁的生铁柱。同样地，1793到1795年，斯特拉特和亚克莱特位于贝尔珀的威斯特工厂[West Mill]也同样使用铁柱来支撑木梁，威斯特工厂也是六层楼高。接下来具有决定性的一步是由另一家工厂美思·贝尼昂·贝奇·马歇尔亚麻纺织厂[Messrs. Benyon Bage, & Marshall]来完成的，该工厂建成于1796年，位于舒兹伯利城外迪瑟瑞顿[Ditherington]，值得庆幸的是，这座建筑至今还存在。这座工厂五层楼高，石砖墙，里面到处是铸铁，不仅柱子是铸铁的，梁也是铸铁的。完全不使用木材，这无疑对工厂具有巨大的益处。这种新的观念马上就流行起来。1799年，博尔顿[Boulton]和瓦特[Watt]为菲利普和李[Philips & Lee]在曼彻斯特附近的索尔福德设计了七层楼的棉花厂，贝尼昂和贝奇[Benyon & Bage]于1803年在利兹[Leeds]又修建了一座亚麻纺织厂，同年，斯特拉特在贝尔珀和米斯福尔德郡修建了更多的纺织厂以及剧院。1823年，普鲁士商业部长P. C. W. 冯·贝伊特[P. C. W. von Beuth]访问英国，他看到了大量的八九层楼高的工厂，

左下图
博加德斯：哈博兄弟大楼，纽约，1854年。

右下图
牙买加街道商店，格拉斯哥，1855至1856年。

纸一样薄的墙面，还有铁柱、铁梁。[3] 1826年，申克尔[Schinkel]访问英国期间，他把这些工厂都画了下来。[4]

然而，只要这些铁的材料用于房屋内部，那么它们的出现对于像19世纪这一代如此关心立面装饰的建筑师来说，这没什么不同。允许铁材用于建筑立面主要归功于美国。1829年到1830年，在波茨维尔宾夕法尼亚，农民与矿工银行[Farmers'and Miners'Bank]的立面就采用模仿大理石的生铁。这座大楼的建筑师是约翰·哈维兰[John Haviland]。[5] 修建于1837年的纽约商业区金街[Gold Street]的仓库，窗间壁和过梁均用生铁。这里的风格仍然是古典式的。在我们收集到的证据中出现了一段空白，但是在戈特弗里德·桑佩尔[Gottfried Semper]写于1851年底的书《科学、工业与艺术》[*Wissenschaft, Industrie und Kunst*][6] 中引用德国工程师对纽约建楼的报告，他说"所有立面均用铸铁进行丰富的装饰"，再用灰泥粉刷，是再正常不过的事。1850年有很多这样的建筑建成。但是那时这些建筑不可能是非常著名的，否则詹姆斯·博加德斯[James Bogardus]在1856年出版小册子《铸铁建筑》[*Cast Iron Buildings*]时，也不会以作为发明者或至少作为一位创新者自居了。1854年，他已为哈博兄弟[Harper Bros]在纽约修建了一座生铁框架暴露在外的建筑[7]（见对页左下图）。到19世纪50年代中期，英国已经完全意识到纽约铸铁对于商业建筑的诸多可能性。1855年到1856年位于格拉斯哥牙买加街道的商店就是一个典型的例子（见对页右下图）；另一座更为壮观的建筑例子是利物浦的奥利尔议事厅[Oriel Chambers]，由彼得·埃利斯[Peter Ellis]于1864年到1865年间修建。[8] 凸窗的平面玻璃上使用的精致铁艺和后侧幕墙以及从外部依稀可见的垂直支撑系统，这几乎是令人惊叹地走在了时代前端。伦敦的建筑师乔治·艾奇逊[George Aitchison]忙碌于设计商业建筑，可以说在1864年"如果大型建筑不是用铁柱或者铁梁建造起来的话，几乎是不可能的"。[9]

右上图
G. T. 格林：希尔内斯海军船坞厂房，1858至1861年。

左上图
约翰斯顿与沃特：杰恩大楼，费城，1849至1850年。

煤溪谷大桥，1779年。

在这座建筑的立面上仍然保留着当时的意大利式或哥特式的装饰细节。但在后侧，由于不需要做任何炫耀的东西，有时所有“母题”[motif]会消失，这与20世纪的建筑细节惊人的相似。另一座建筑也具有同样的特征，埃里克·德·莫雷[Eric de Maré][10] 先生最近发现了更大程度、更大范围、更纯粹使用以上手法的建筑。它就是位于希尔内斯海军船坞（见第105页右上图），由英国海军建筑与工程总监G. T·格林[G. T. Greene]上校设计于1858年，并于1859年到1861年修建完成。这座船坞有210英尺长，135英尺宽，展示出坚固的四层楼高的铁架，一排排矮窗、波状形的铁窗板。从建筑技术上来看，这些建筑的创新效果来自大量铁的使用；从美学角度上来看，其显著的效果是由于大量并连贯地使用了玻璃。大量玻璃对于高层建筑是有用的，16、17世纪的城镇木房屋设计师早就了解了这一点。那时许多房屋的立面，除了木棂、木梁、窗板，均采用玻璃。石头和铁也能达到同样的效果。事实上，在铁出现以前，美国也有用石直棂的全玻璃立面。它们中最令人惊叹的是修建于1849年至1850年的费城杰恩大楼[Jayne Building]，由W. J. 约翰斯顿[W. J. Johnston]和托马斯·U. 沃特[Thomas U. Water]共同设计。托马斯是吉拉德学院[Gerard College]和美国国会大厦[Capitol]铁制穹顶的建筑师，他对工程非常感兴趣，同时也有一定的经验。这座大楼一共8层楼高，其中哥特式的石雕采用花岗岩（见第105页左上图）。[11]

事实上，只要技术没有发展成20世纪那样，即把砖石或石板墙砌在铁骨架墙上，石头玻璃立面和铁玻璃立面之间并没有什么不同，奥利尔议事厅也许是一个很好的例子。建于1860年到1865年的纽约制弹塔和布鲁克林的谷物仓库也是同样的实例。据记载，在修建这些房屋的铸铁框架时，利用重量较轻的砖墙来填充中间部分，而铁结构则暴露在外。[12] 在法国，1865年的《建设者》[*Builder*]杂志讨论了普雷方丹[Préfontaine]和方丹[Fontaine]设计的巴黎圣·欧文码头[St. Ouen Docks]仓库，很明显，这座铁架的仓库，轻砖墙仅用于填充。[13] 由索尔

泰尔福特：代替伦敦大桥的一座铁铸大桥设计，1801年。

尼尔[Saulnier]修建于1871年到1872年间，位于马恩河畔诺瓦西耶[Noisiel-sur-Marne]的梅尼耶巧克力工厂[Chocolat Menier Factory]也是使用轻砖墙填充铁架。[14] 这些设计的构思应该来源于维奥利特・勒・杜克所著的《对话录》，我们在后面的章节中还将再次提及此书。

上文介绍的建筑都是非常有意义的，但是我们很难说铁件构造在这些建筑里面的美学价值。同时我们也很难确定这个积极的态度何时首次出现，设计师何时开始喜欢这些铁结构的外形。我们倾向于认为始于铁制桥梁，因为对于我们来说，只有使用铁才能使桥梁获得弹性和优雅之感，这在美学上几乎是不可抗拒的。在某种程度上，铁的这种运用也适用于最早设计的全铁大桥，即横跨赛文河[Severn]的煤溪谷大桥[Coalbrookdale Bridge]，这座桥由杰出的铁器大师阿伯拉罕・达比[Abraham Darby] 于1779年修建完成。是谁设计了这座大桥，我们尚不确定。它的部分创意来自另一位与达比齐名的、杰出的铁器大师约翰・威尔金森[John Wilkinson]，部分来自一位建筑师：托马斯・弗诺尔・普理查德[Thomas Farnoll Pritchard，1723—1777]。实际上，普理查德1775年的设计非常大胆，在他1777年去世后该设计最终得以采用。执行设计的也许是达比，但是这种大胆的创意似乎更可能出自普理查德或威尔金森之手。[15] 比煤溪谷大桥设计更大胆、用料更节省的是森德兰德大桥[Sunderland Bridge]，这座桥建于1793年至1796年间，尽管汤姆・佩恩[Tom Paine]也许参与了一些工作，但它的设计似乎是出自罗兰德・巴顿[Rowland Burdon]之手。1788年，佩恩在美国时获得了英国的铁桥设计专利。森德兰德大桥实际上是由罗瑟拉姆[Rotherham]和巴顿共同完成的。但不幸的是，这座桥已经被拆毁了。它的跨度达206英尺，而煤溪谷大桥仅有100英尺。这座桥建成5年之后，托马斯・泰尔福特[Thomas Telford]建议在泰晤士河上修建一座铁桥来代替原来的伦敦大桥[London Bridge]，以600英尺宽的跨度横卧河上。

与拱桥同时发展的还有吊桥。中国人早已懂得采用悬挂铁链的方法建造桥梁。这些桥梁的情况早在1667年基尔舍[Kircher]所著的《中国图说》[*China Illustrata*]一书中就已传入欧洲。费歇尔·冯·埃拉赫[Fischer von Erlach]在1726年所著的《建筑历史》[*Historical Architecture*]中，也有这类桥梁的介绍。[16] 这本书于1730年被翻译成英文，约10或12年之后，一座借鉴中国桥梁原理的桥梁被修建在英格兰的蒂斯河[River Tees]上，离米德尔顿[Middleton]约2公里。这座桥梁长70英尺，宽2英尺多，主要供矿工上下班使用。据1794年的记载，走起来桥板晃动得厉害，令人感到焦躁不安，“以至外地人害怕得不敢通行”。吊桥的这个问题似乎被搁置了60年之久，直到詹姆斯·芬利[James Finley]（卒于1828年）在美国又开始重新提起。他设计于1801年、横跨约伯河[Jacob's Creek]的吊桥，位于尤宁敦[Uniontown]和格林伯格[Greenburgh]之间，桥的长度与他的英国前辈的一样。同年，他取得了吊桥设计的专利，并在1801年到1811年间设计并修建了8座桥。最长的一座桥横跨斯吉吉尔河[Schuylkill]大瀑布，长达306英尺。[17]

英格兰重新出现在吊桥史上是在1815年，泰尔福特设计了梅奈桥[Menai

布鲁内尔：克里夫顿吊桥，布里斯托尔，设计于1829至1831年，始建于1836年。

Bridge]，而他肯定了解美国吊桥的发展情况。[18] 梅奈桥主跨为579英尺，两个边跨各为260英尺，外表非常干净整洁。泰尔福特的追随者有卡朋特·萨穆尔·布朗[Captain Samuel Brown]，他在1817年获得了链桥的专利，他在贝里克-安-堆[Berwick-on-Tweed]设计的联合大桥[Union Bridge]修建于1819年至1820年，主跨为449英尺。布莱顿链条码头[Brighton Chain Pier]建于1822年至1823年，随后英格兰和欧洲大陆相继修建了许多链桥。

其中最令人印象深刻的吊桥也许是位于布里斯托尔[Bristol]的克里夫顿吊桥[Clifton Suspension Bridge]（如图），这座桥由伊桑巴德·金德姆·布鲁内尔[Isambard Kingdom Brunel，1806—1859]设计于1829年至1831年。[19] 如果说这座桥的美纯粹是出于偶然，说这种美仅仅来自于聪明的工程技术而不是别的，那是很难令人接受的。当然，像布鲁内尔这样的一个人肯定已敏锐地感觉到他在设计中所体现出的前所未有的美学质量——一座没有重量的建筑，长期以来自然界的消极抵抗与人类积极意志力被有效地调和，纯粹的功能力量抛射出一条绚烂优美的弧线，战胜了深谷两岸间宽达700英尺的鸿沟。这里毫无夸张的用语，也没有采取折中的方式，甚至连电缆塔也毫无装饰，这诚然与布鲁内尔的初衷是背道而驰的，他希望使用新埃及主义[Neo-Egyptian]装饰。这碰巧使得电缆塔与暴露的铁结构达到非常好的平衡。欧洲建筑仅有一次被这种大胆的精神所统治，那是在修建亚眠[Amiens]大教堂、博韦[Beauvais]大教堂、科隆[Cologne]大教堂的时代。

布鲁内尔也许并未想过用这种方法来设计，或完全未想过用艺术的方式来考虑设计，在那时也许更好。那些铁艺大师当然也想在艺术上有所作为，一旦他们把这种想法变成自觉行动时，结果往往差强人意，难以令人信服。如约翰·威尔金森1790年在斯塔福德郡[Staffordshire]的布雷德利[Bradley]设计的铸铁的布道台，还有在格兰奇-奥沃-沙[Grange-over-Sands]（1808）附近的林代尔[Lindale]的方尖碑，这是他引以为荣的墓碑。[20] 在18世纪晚期19世纪早期出现在斯塔福德郡以及附近的郡县教堂中的铸铁窗饰，与塞文河谷的铸铁窗饰亦相距不远。

铁柱出现在教堂和公共建筑时，一般来说，选用这些材料完全是出于以实用目的为主，而非视觉因素。在这一领域，英格兰处于领导地位。如位于利物浦圣安妮教堂的一座修建于1770年至1772年间的圣安妮教堂（现已不存），其走廊由铁柱搭建而成。同样的，约克郡西区的莱特利夫[Lighteliffe] 教堂（1774—1775），其风格与约翰·卡尔[John Carr]设计的建筑非常相似。[21] 乔治·斯图尔特[George Steuart]在舒兹伯利设计的圣查德[St. Chad]教堂，两边细长的柱子仍用木材包裹着。这座教堂修建于1790年到1792年间。[22] 外露的铁以较小规模出现在剧院和教堂内，作为支撑楼座之用。据记载，最早的戏院是位于伦敦，由史莫克设计于1808年至1809年间的科文特花园剧院[Covent Garden Theatre]。最早

纳什：大厨房，英皇阁，布莱顿，1826年。

的教堂似乎与另一位狂热的铁艺大师约翰·克莱格[John Gragg]有关，约翰来自利物浦。他建议年轻的托马斯·里克曼[Thomas Rickman]在利物浦附近的埃弗顿教区教堂[Everton Parish Church]（1813—1814）和圣米歇尔·托斯德教堂[St. Michael Toxteth]（1814）中广泛地使用铁件。[23]

数年以后，著名的建筑师约翰·索恩[John Soane]爵士于1818年在他给教会的备忘录中建议使用铁件，[24] 但这些铁件经常被直接使用于小型教堂中。约翰·纳什[John Nash]经常使用铁件，但一般来说，他经常把这些铁件处理得像石头一样。因此，如伦敦的圣·詹姆斯公园[St. James' s Park]对面的卡尔顿联排住宅[Carlton House Terrace]（始建于1827年）使用铸铁的多立克柱式，摄政王大街的夸德兰特住宅[Regent Street Quadrant]（始建于1818年）也同样使用铸铁的多立克柱式。

然而，纳什至少有一次把铁件当作铁来处理，并欣赏它作为承重柱的优雅姿态。这在他著名的大型建筑布莱顿展馆[Pavilion at Brighton]中尤为明显（见上图），展馆里主要的楼梯均使用铁件做成，而在展馆的厨房里，使用细铁杆承载着天花板的重量。柱子顶部，铜棕榈叶像发芽般向四周伸出。1815年和1818至1821年期间，这两个重要的日子，就我们所知的，标志了不加伪装的铁件在王室里得到了首次露面的机会。

展馆球根状的屋顶由弯曲的铁架构成。在屋顶中最早把金属和玻璃结合在一起使用的例子是设计于1809年、建于1811年的巴黎布尔日市大厅[Halles au Blé]。这使得室内的光线均匀，不然是不可能获得这个效果的。同时，温室设计师开始意识到了玻璃穹隆的优点。玻璃屋顶早在18世纪就被使用在温室设计中。“曲面”[curvilinear]屋顶首次出现于伦敦的G. S. 麦肯锡[G. S. Mackenzie]爵士于1815年在园艺学会[Horticulture Society]宣读的一篇文章中 。很快，这一概念被著名的园艺师理查德·佩恩·奈特[Richard Payne Knight]的园艺师弟弟T. A. 奈特[T. A. Knight]，用在了什罗普郡唐顿骑士城堡[Downton Castle in Shropshire]中，花匠以及记者劳顿［Loudon］也采纳了这一概念。劳顿在1817年至1818年间设想了几种不同的“曲面”屋顶，随后被大家采用。1830年，英国有相当数量的大型温室具有曲面屋顶，如约克郡的布雷顿大厅圆形温室[Bretton Hall in Yorkshire]，直径100英尺，高60英尺。[25] 所以，巴黎植物园[Paris Jardin des Plantes]的重要性被人们大大地高估了。接着约瑟夫·帕克斯顿[Joseph Paxton，1801—1865]于1837至1840年间为德文郡公爵[Duke of Devonshire]修建了卡兹沃茨温室[Chatsworth Conservatory]，长277英尺，宽132英尺，高67英尺。

这件事使得1851年的水晶宫登上了历史舞台（见第52页插图），它是首个国际性的展厅，而且像最大的吊桥一样表明了对铁作为建筑材料的肯定态度。但在介绍水晶宫之前，有几点其他方面的发展必须说明一下。铁和玻璃对于建造市政厅和火车站拥有明显的优势。19世纪初城市人口的急速增长，工厂和城市之间货物交换的急速需求，对推进这两种不同类型的建筑的发展起到了积极的作用。早在1824年，巴黎的玛德琳娜[Madeleine]商场把铁和玻璃作为建筑的主要材料。它不是拱顶，但1845年赫克托·奥鲁[Hector Horeau]重建巴黎中央商场[Central Market Hall in Paris]时，建议其穹顶跨度应达到300英尺。[26] 如果它建成的话，将与历史上跨度最大的火车站——1893年建成的费城百老汇车站的跨度相当，[27] 并且超过19世纪80年代之前任何英国的火车站中的那些铁结构，如库珀[Cowper]建于1854的伯明翰新街，宽212英尺，然后是由W. H. 巴罗[W. H. Barlow]于1863年到1865年间建成的伦敦圣·潘克拉斯[St. Pancras, London]（见第120页插图），宽234英尺。巴黎中央商场由巴尔塔和卡莱[Baltard & Callet]在1852年到1859年间修建，使用了铁和玻璃，但是没有穹顶也没有什么特别之处。

在水晶宫，穹顶也不是决定性的因素。使帕克斯顿[Paxton]这座铁和玻璃的建筑成为19世纪中期如此杰出的案例的原因是由于其尺寸（1851英尺长，比凡尔赛宫更长），以及它不用其他材料，所有的铁与玻璃部件都附在以24英尺网格为基础的预制结构系统上。仅有这种预制性结构能使这座大型建筑在短短的6周里奇迹般拔地而起。即使像帕克斯顿这种门外汉，如果没有在一个临时性建筑工作过的经验，他也不敢冒险做这种前所未有的设计和工序。然而，事实上，为了更为永久的目的，1854年水晶宫在伦敦附近的西德纳姆[sydenham]重新修建，这证明了美丽的新金属和玻璃吸引了维多利亚改革论者和公众。可是，在建筑文献中，对水晶宫一直存在着激烈的争论。当然，普金这位遵奉哥特风格者以及狂热的天主教徒并不喜欢这种建筑形式。普金称它为“水晶汉堡”或“水晶怪物”“一座失败的别墅”“迄今为止最恐怖的怪物”。[28] 在这一点上，许多方面与普金一致的罗斯金称其为“比先前建立的温室还大的温室而已”，最终证明铁想要创造更高的美是“永远不可能的”。[29] 事实上，1849年，罗斯金在他的书《建筑的七盏明灯》中开宗明义地提到“建筑有别于蜂巢、老鼠洞或火车站”。但与这些消极、抵制态度相反的声音来自亨利·科尔及其朋友们，亨利·科尔是一位设计改革者，在某些方面很像罗斯金。在这些人中，对铁构建筑给予高度评价的是马修·迪格比·怀亚特。虽然与普金相比，他算不上是一位顶尖的建筑师；与罗斯金相比，他也算不上是一位顶尖的作家，但他是一位具有超高才智的批评家。1851年， 他在《设计日志》[*Journal of Design*][30] 中写道：“越来越难以判断工程在哪里结束，建筑在哪里开始。”新的铁桥属于“世界奇迹”。他继续写道：“这些所谓的开始，当英格兰对形式和比例有系统的标准时，还有什么荣耀可以留下来......我们可以去梦想，但我们不敢预测。无论结果如何，一个事实不容忽视，即1851年的博览会可能激起了人们对‘完美的追求’，新奇的形式以及细节也许对整个国家的品位起到了强有力的影响。”

这里，更多的人愿意承认科尔及其圈子在20世纪众多先锋设计中占有一席之地，并且必须记得怀亚特的表现与他的理论多么不一致，还是把他送回他属于的19世纪中去吧。另一个有些相似的案例是托马斯·哈里斯[Thomas Harris]修建于野外的可怕的维多利亚风格建筑，1849年，他评论水晶宫“一种新建筑风格，其可媲美任何先辈们的风格，在某种程度上已被宣告诞生了”，并且“玻璃和铁已成功地赋予未来的建筑实践一种明显的、独特的特点”。[31] 在罗斯金见到水晶宫之前的1849年，他就已指出：“一个时代即将来临，一个适合铁构建筑的新的建筑体系将会出现。”[32] 维多利亚时期最成功的建筑师是乔治·吉尔伯特·斯科特爵士，他太聪明了，以至于他忽视铁在建筑中的潜能；他也太过于传统，以至于妨碍他对这一方面的探索。他在1858年关于桥的书籍中提到：“现代铁构建筑的胜利并完美地为建筑的发展开辟一片新领域，这是不言而喻的”，“它会迷惑最聪明但无经验者把它（吊桥）变得令人厌烦”。但当铁被用于建筑时，他退一步承认铁在水晶宫这个案例中仅仅是作为“额外的权宜之计”。[33]

火车站是建筑与工程技术相结合之地。其中最具代表性的是斯科特为圣·潘克拉斯设计的哥特风格的砖塔楼和花岗岩宫殿，他们位于巴洛设计的雄伟的火车站棚前面。另一位在这方面同样杰出的是詹姆斯·弗格森[James

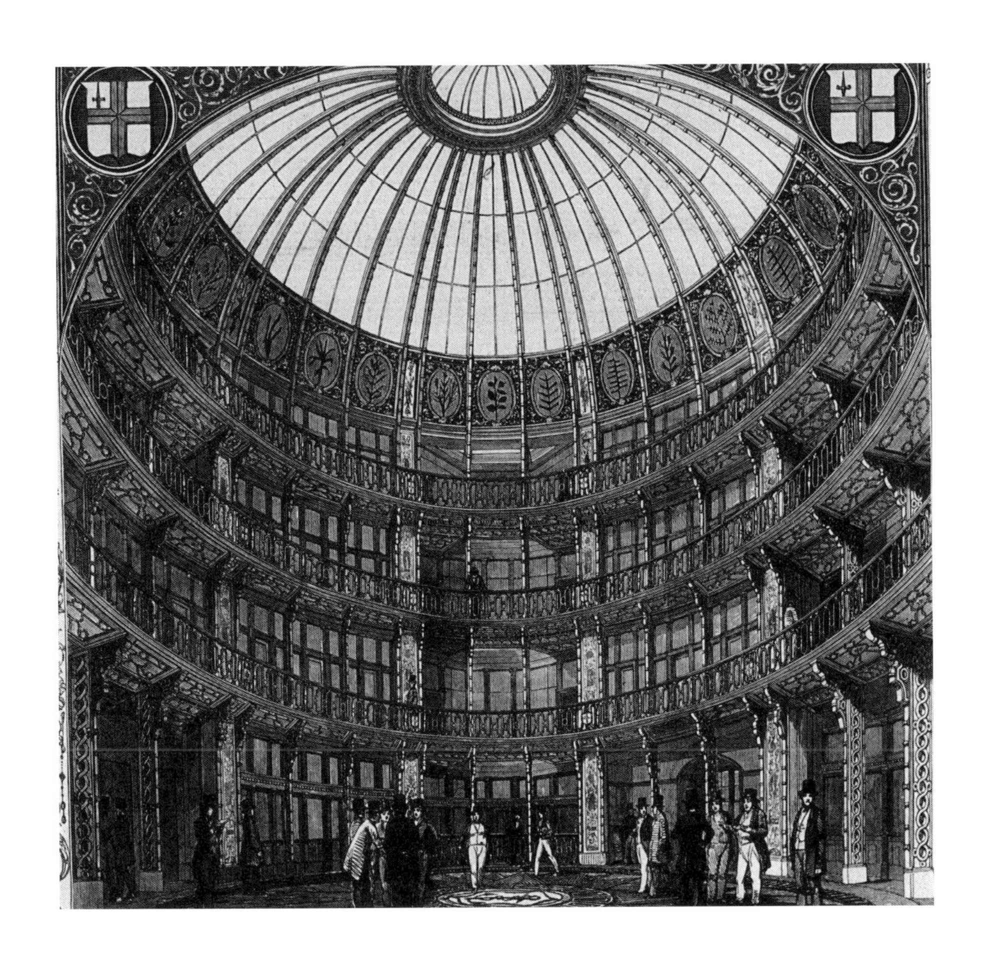

巴尼：伦敦煤炭交易所，1847至1849年。

Fergusson]，1862年，他在其《现代风格的建筑史》[*History of the Modern Styles of Architecture*]中写道，巴黎火车东站比伦敦国王十字火车站优秀，因为“更高级的装饰……它真的变成了建筑艺术品”。[34] 在此，我们又回到了本书开始的地方，即人们把建筑装饰当作建筑艺术的定义。更值得注意的是那些全心全意为铁路建筑叫好的人。一位《建筑新闻》[*Building News*]的匿名作者在1875年写道：“火车站是我们国家的大教堂。”[35] 25年前，即在建造水晶宫之前，西奥菲勒·高蒂尔[Théophile Gautier]写道：“当新风格被创造的那一刻......被工业使用时，人类将创造一种全新的建筑……铁的使用促进各种新样式的采用，如我们在火车站、吊桥、温室的拱顶中所看到的那样。”[36] 这种奇妙的评论来自“为艺术而艺术”的诗人。它显示了19世纪中期艺术批评中所特有的、从社会的与从艺术的不同角度考虑问题时存在异乎寻常的思想混乱。比起对工业时代的信念，高蒂尔或许对工程结构与机械的形式更感到欣喜，可能从中受到了更多鼓舞；而同样的欣喜也存在于特纳的《雨、蒸汽和速度》[*Rain, Steam and Speed*]、莫奈的《圣拉扎尔火车站》[*Gare Saint Lazare*]（见第102页）、门泽尔的《轧钢厂》[*Rolling Mill*]中。

到目前为止，我们所有关于铁构建筑的例证均是一般性建筑，而非首要的建筑：当提到城市建筑和教堂时，这些能够将铁运用自如同时在美学上令人信服

的领域一下子就缩小了很多。19世纪40年代有两座重要的建筑：在水晶宫建成10年前，1843至1850年，拉布鲁斯特[Labrouste]设计的巴黎热拉维拉夫图书馆[Bibliothèque Ste Geneviève]；1847至1849年，巴尼设计的伦敦煤炭交易所（见第113页插图）。拉布鲁斯特设计的图书馆具有严谨的、新文艺复兴式的外表和一个双中殿、拱形的、隧道拱顶式的内部，将两个中殿隔开的细长铁制门柱完全袒露在外，而安放在带有花格图案的铁制门拱上的两个拱顶将门柱和外立面的石墙联结在一起。伦敦煤炭交易所在使用铁上非常自由，直接暴露在外，尽管有点像是在展示繁杂的装饰。19世纪50年代，在罗斯金的直接监督和指导下，迪恩和伍德沃[Deane & Woodward]修建牛津博物馆，其具有高高的铁柱，还有哥特和自然主义的装饰形式。同样在19世纪50年代，巴黎的路易斯–奥古斯特·布瓦洛[Louis-Auguste Boileau]在圣·尤金[St. Eugène]教堂中大胆地使用了铁柱和扇形肋穹顶（1854—1855）。19世纪60年代，他和儿子路易斯·查尔斯[Louis Charles]在其他教堂中也采用了同样的方式，[37] 路易斯–奥古斯特还写了几本关于建筑中使用铁的优点的书。1860年到1861年，商场建筑师巴尔塔加入到布瓦洛

在巴黎的圣·奥古斯汀[St. Augustin]教堂的设计行列，使用铁柱、铁拱以及铁制圆屋顶建造教堂。

当维奥利特-勒-杜克开始登上历史舞台，他和普金一样具有两面性和影响力。他在卡尔卡松[Carcassonne]和皮埃尔丰[Pierrefonds]修复了无数教堂。他是一位激进的政治家，也是一位学识丰富的建筑史学家。他的《词典》[*Dictionnaire*]迄今为止仍是一个重要的信息来源以及研究目标。他是哥特建筑理念的诠释者，他的理论与普金一样令人信服，但他的学识又远远高过普金。他把流行哥特风格的13世纪当作人民的世纪来捍卫，在他捍卫的所有事物中，他对铁构建筑、铁支撑、铁拱顶尤其热衷。在维奥利特-勒-杜克的书《对话录》中，对铁的看法有详尽的介绍。在第一卷（1863）第九章中，提到“当今社会由于制造技术的完善，使得我们拥有丰富的资源”，进而提出诉求：“根据我们的时代调整建筑形式并利用好这些技术”而不是伪装成“来自其他时代的建筑样式”。在第十章中，他还列举了一个例子，说明铁在一个可以容纳2000人的集会大厅建筑中的使用情况。[38] 他在第二卷（1872）的论述中，更深入地强调“金属和砖石的同时应用”。砖石的墙面直接支撑着铁和铁拱顶，并且表扬了“铁用之于建筑所带来的成就以及工程技术带来的丰功伟绩”。[39] 他甚至配图说明自己的想法：宏伟的维多利亚风格结构，同样宏伟而又华丽的铁构件（见对页左上图）。

我们的确不能期待19世纪60或70年代的建筑师能有更多的认识。完全抛弃借鉴建筑元素和理念的不是建筑师，而是工程师。在接下来的几十年里，他们取得完全的胜利。桥梁达到了前所未有的跨度，1870年至1883年的布鲁克林大桥的主跨度是1596英尺，1883年至1889年修建的福斯大桥拥有1753英尺的跨度。由工程师康塔明[Contamin]和建筑师迪泰特[Dutert]共同设计的1889年巴黎国际展览会的机械展馆的穹顶达到385英尺的神奇跨度。这个馆的高度达到150英尺，给人以前所未来的空间感和轻巧感。铁臂轻松地从其支撑柱拔地而起，拱顶上的成对的铁臂并没有连接在一起，它们只是借助于同样使用在底部柱子上的狭小螺钉而互相接触。同一届展览会上最宽的跨度是埃菲尔铁塔（见对页下图和扉页），由古斯塔夫·埃菲尔[Gustave Eiffel，1832—1923]修建。[40] 埃菲尔用月牙状大梁构建塔底，这种铁梁结构他早就在几座桥梁中实验成功，例如被认为是最大胆的杜罗河大桥[Douro Bridge]（1875）以及加拉比高架桥[Garabit Viaduct]（1879）。埃菲尔铁塔无与伦比的魅力在于它1000英尺的高度——这一高度直到第一次世界大战过后才被超越——其次是它优雅的轮廓线，以及它强大而又控制得当的力量。

虽然钢在1885年至1890年已开始取代铁的使用，但是埃菲尔铁塔仍使用熟铁修建结构。因此，必须意识到从1890年以来，如果不考虑钢，那么最先进的建筑理念

对页上图
维奥利特-勒-杜克：《对话录》插图，1872年。

对页下图
埃菲尔：埃菲尔铁塔的构造，巴黎，1889年。

左上图
沙利文：温莱特大楼，圣・路易斯，1890至1891年。

右上图
伯纳姆与洛特：莫纳德洛克大楼，芝加哥，1890至1891年。

以及进步建筑的视觉形象将很难被充分理解，因为钢在那时意味着摩天大楼。我们使用摩天大楼这一术语仅指那些承重墙被钢架结构所替代的建筑。最近的研究已就摩天大楼各个阶段的发展做出准确的说明。[41] 在此我们不涉及它更多的细节。

在摩天大楼出现之前，升降机没有出现以前（1852），特别是电动升降机还没有被发明之前（W. 冯・西门子[W. von Siemens]发明于1880年），高层办公建筑群是不可能出现的。尽管是砖石墙，但是1887年至1888年修建的纽约普利策大厦达到了349英尺。与此同时，威廉・勒・巴隆・詹尼[William Le Baron Jenney, 1832—1907]设计的芝加哥家庭保险大楼[Home Insurance Building]修建于1884年至1885年，采用了真正的骨架结构，其他如霍拉伯德[Holabird]和罗斯[Roche]设计的芝加哥办公大楼（见第121页），詹尼曾经重修过的塔科玛大楼[Tacoma Building]也使用骨架结构。[42] 但是芝加哥家庭保险大楼、塔科玛大楼或早期的芝加哥摩天大楼，外形并没有显示出超越砖石塔楼之处。只有等到了沙利文才听到了钢的召唤。结果是圣・路易斯[St. Louis]的温莱特大楼[Wainwright Building]（见左上图）使用了钢，这是现代建筑改革运动的里程碑。这座大楼设计于1890年。当时莫里森[Morrison]先生就曾准确地指出，大楼的立面并没有全面展示它整个结构。转角处的墙身比其他垂直的窗间墙要宽得多，每两块窗间则与钢立柱相呼应，且窗间宽度保持一致。顶层设计上有牛眼般的窗洞和带有丰富的沙利文式的新艺术运动风格装饰的大挑檐，同时也令人想起石头建筑的传统手法。沙利文已了解到钢架的方格网需要外立面建立在一个完全相同的单元之上，或者正如他所说的，我们必须“在个体单元找到线索，这需要窗户具有独立的窗间壁、窗过梁，干脆利索，使得它们看起来一样，因为它们本来就是一样的”。[43] 因此，他创造了简洁而雄伟的节奏感，以及简明扼要、直截了当的效果。相比于范·德·威尔德，沙利文把那些革命性的理论用到了大型建筑的设计中，这在本书的开篇均有论述。

他不是唯一一位对下一个世纪的特点极其敏感的芝加哥建筑师。理查森也同样敏感，1885年他设计马歇尔·菲尔德批发公司大厦[Marshall Field Wholesale Building]（见第121页）这个项目时，他利用大量的砖来修建，虽然这座大厦不是摩天大楼，但确是商业与工业的纪念性建筑。大厦并没有采用传统纪念碑相关的惯用手法，只有圆拱是唯一一处留有过去新罗马式建筑痕迹的地方。当沙利文、伯纳姆[Burnham]和洛特[Root]在1890年至1891年间修建莫纳德洛克大楼[Monadnock Block]时，这一原创的精神一定对他们产生重大的影响（见对页右上图）。这座建筑一点都不理查森式[Richardsonian forms]，也没有采用钢骨架。它是最后一座大型的砖石结构塔楼建筑，坚持不用任何装饰或线脚减缓尖锐的线条，从某种意义上说，这完全属于一个新的时代。由此可见，在任何时候，工程技术和建筑艺术之间的不相调和可以达到如此程度，即使像发展步调如此一致的芝加哥学派也都不能例外。[44]

莫纳德洛克大楼以及其他美国办公大楼的地下室均使用了钢筋混凝土。并非所有建筑均采用钢筋混凝土，即使使用也以一种实用的、隐晦的方式进行，但在这里必须正式介绍钢筋混凝土，因为它将成为20世纪最重要的一种材料。关于钢筋混凝土的背景已被全面阐释过，[45] 所以概括起来很容易。首先，水泥与混凝土之间的最大区别必须明确——混凝土是一种集料，大块混凝土与钢筋混凝土之间的区别——加（钢、铁）筋可以提高混凝土的承受能力。

实际上，罗马人曾经广泛使用混凝土，而事实上，公元1世纪之后，这成为罗马人最重要的建筑技术。然后，这种材料随后消失，直到1800年才出现在法国建筑手册中，如朗德莱特[Rondelet]的《建造的艺术》[*Art de bâtir*]。对使用混凝土建设蓄水池、谷物升降机以及房屋的宣传很快出现。英国和法国的混凝土房屋的历史可以追溯到19世纪30年代。历史上首位混凝土的狂热爱好者要数弗朗西斯·凯依涅[François Coignet]，他曾经在1855年的国际展览会上写道：“水泥、混凝土以及铁注定要代替石头。”[46] 他采用混凝土建成勒韦西内[Le Vésinet]教堂的外部，用铁建造它的内部。[47]

关于钢筋混凝土的历史可追溯到1832年伦敦出版的《伦敦房屋、农场、别墅建筑百科全书》[*Encyclopaedia of Cottage, Farm, and Villa Architecture*]，[48] 书中提到在水泥地板上嵌入铁肋骨，在1844年又出现了在水泥地板中嵌入铸铁托梁的做法。19世纪50年代，出现了很多相关方面的技术，如1854年英国出现的一种混凝土加筋手法就利用了钢铁的张力特征，[49] 1856年法国凯依涅明确地把铁柱称作“拉杆”[tyrants]。[50] 在凯依涅之后，还有一位需要被记住的建筑师是约瑟夫·莫尼尔[Joseph Monier]，他在1867年完善了花盆式钢筋混凝土技术，并于1877年用钢筋混凝土修建柱子、梁。同一时期，英国在灌浇模板方面也取得了进展。尽管比较边缘，但诺曼·肖的名字也出现在混凝土的历史中：1878年，他设计的乡村别墅部分使用了混凝土，虽然是大块混凝土而非钢筋混凝土。

钢筋混凝土技术在19世纪70年代进入成熟期，威廉·E. 沃德[William E. Ward]和撒迪厄斯·海厄特[Thaddeus Hyatt]开始对混凝土和铁的结合物的属性进行分析、计算。几年之后，受到莫尼尔的实验影响，德国人也开始跟上了脚步，他们是G. A. 威尔森[G. A. Wayss]和科宁[Koenen]，分别是制造商和工程师。这标志着现代意义上的混凝土制作和混凝土学术研究已经开始了。这一过程一直持续到19世纪80年代中期。

最后，他们的科研成果被法国一位伟大的科学家弗朗西斯·亨纳比克[François Hennebique]巩固与加强。亨纳比克用钢代替了铁，并详细研究了钢筋在支撑点附近的弯曲幅度。他的第一代施工技法开始于1892年到1893年间，很快他的公司就繁荣起来。亨纳比克位于图尔昆[Tourcoing]的纺织厂成立于1895年，纯功能的立面以及裸露的混凝土框架，巨大的玻璃表面，颇像芝加哥建筑师的作品。

两年之后，混凝土技术发展到了新高度。在这一时期，安托尔·德·波特设计了圣·让·蒙特马特教堂[St. Jean de Montmartre]（见对页插图）。波特是杜克的学生，他和他的老师一样信任新材料，并把新材料运用到大型建筑中。如果杜克提倡采用铁来重新诠释哥特式建筑，那么波特利用混凝土则基于同样的目的。支撑点少、轻盈，横穿前后的混凝土充分发挥了支架的作用，天窗的采光方式获得了直接、朴素的效果，看出波特采用了哥特手法，但同时预示了麦金托什和勒·柯布西耶用复杂手法处理空间的时代的到来。从这座建筑的落成到第一次世界大战为止的这段时期内，法国一直在发展混凝土建筑方面处于领先地位。

在结束本章对工程建筑的介绍之前，有一点非常重要必须再次强调。罗斯金、莫里斯以及他们的追随者讨厌机器以及钢筋玻璃结构主导的建筑，根据罗斯金的想法，他们认为“这些（机器制造）与一切美好伟大的东西之间存在一个不可逾越的鸿沟，这是任何现代技术造就出来的钢筋拱桥和之前所造出来的结构都战胜不了的”。[51]

罗斯金极度蔑视玻璃和钢铁建筑，这主要是出于美学的自然性质，而莫里斯则完全出于整个社会的性质。莫里斯无法欣赏新材料带来的诸多优点，他过于

德·波特：圣·让·蒙特马特教堂，巴黎，1894至1897年。

强调工业革命带来的消极结果。他仅看到被毁灭的部分：手工艺以及愉快的劳作。人类文明史上没有哪一个新阶段出现时，不经历价值观念全面而强烈的变革，而这个阶段对于当代人来说却是如此的令人反感。

另一方面，工程师专心致志于他们振奋人心的新发现，以至于没有发现萦绕在他们身边的不满情绪，也没有听取莫里斯的告诫。由于这些敌对的状态，19世纪艺术与建筑的这两种最重要的趋势无法相互融合、共同发展。艺术与手工艺保持怀旧的态度，而工程师则对艺术漠不关心。

把艺术与手工艺联合在一起的是新艺术运动。新艺术运动的设计师们带着好奇心，反对传统和保守，他们借鉴工程师的革新精神大步向前走。他们深知像莫里斯及其信徒们那样全身心地投入手工艺制作的必要性，他们也获得了新材料和新情感之间的一个暂时性的融合。

因此，把20世纪的风格理解为是综合了莫里斯所倡导的工艺美术运动、钢结构建筑以及新艺术运动是自然而然的事。这三种观念的发展线索已经在本章以及上个篇章被详细论述，现在我们应把精力放在现代艺术运动本身，如英国、美国以及欧洲大陆的现代艺术运动的发展情况。

火车站

1847年，弗朗西斯·迪肯纳[François Duquesney]借鉴巴黎火车站北站的规划图，把原来的火车站向两边扩建，增加了两座阁楼作为旅客大堂，利用新佛罗伦萨列柱风格把两座阁楼连接起来。他把这种优雅的设计用于巴黎火车站东站，并创造了一种火车站的模式，流行至整个欧洲，直到世纪末仍备受追捧。出发厅与到达厅设计得非常大胆创新，经典的立面、大型的半玫瑰花窗穿入山墙，马上获得了一种象征意味。法国工程师奥古斯特·普多内特[Auguste Perdonnet]对“像巴黎火车站东站这类雄伟气势的大型火车站如何与重要的铁路达到和谐效果”进行研究。在英国，被佩夫斯纳称为“英国后期最好的火车站”的圣·潘拉克斯火车站则打破了这个模式。这座火车站由资深工程师威廉·H. 巴罗[William H. Barlow]和建筑师吉尔伯特·斯科特爵士联合设计修建，佩夫斯纳称其为“维多利亚盛期的砖砌哥特式风格杰作”，“充满了扑朔迷离的光彩”。斯科特设计的火车站和酒店大楼具有极度浪漫的锯齿形山墙、卷叶饰塔、大量的烟囱，与巴罗设计的火车站中壮丽的金属结构顶棚形成强烈的对比。顶棚跨度243英尺，尖顶高度达100英尺，是当时跨度最大的火车站。

上图
雅克·伊格纳茨·希托弗：巴黎火车站北站立面，1861至1866年。

右图
巴罗与斯科特：国王十字圣·潘克拉斯火车站米兰德大厅。

芝加哥学派

佩夫斯纳指出升降梯的出现触发了摩天大楼的诞生。首先是蒸汽机，然后液压升降梯，最后是1880年发明的电梯，这刚好满足芝加哥重修建筑的需求。这些建筑有三分之二毁于1871年的大火。尽管木头数量充足，但对于城市居民来说，它们已不再具有吸引力，尤其是它们被大火烧成平地之后。有些精力充沛的建筑师如路易斯·沙利文、亨利·霍布森·理查森及其伙伴威廉·霍拉伯德[William Holabird]和马丁·罗斯[Martin Roche]已经开始考虑钢铁材料的防火性能，并为高耸的新大楼采用玻璃幕墙，如卡森·皮里·斯科特百货公司、菲尔德批发百货公司[Marshall Field Wholesale Store]以及“绝对现代的”的塔科马大楼。沙利文因使用新技术和新建筑材料发展新建筑风格而享有盛誉，他的建筑以蜂窝状的结构作为外表。由于受到欧洲新艺术运动的影响，他利用雕塑式的铁质螺旋形以及自然形式装饰建筑，加强了垂直支撑元素。理查森因把浪漫主义引进美国的建筑而声名斐然，霍拉伯德和罗斯设计的清爽、纯粹的建筑立面则指明了20世纪的建筑发展趋势。

左图
霍拉伯特与罗斯：塔科玛大楼，1887年至1888年。

上图
理查森：菲尔德批发百货公司，1885年。

尤金-伊曼纽尔·维奥利特-勒-杜克

右图
维奥利特-勒-杜克：《亚瑟王与圆桌武士》，皮埃尔丰城堡壁炉设计，法国，约1870年。

下图
维奥利特-勒-杜克：巴黎圣母院滴水兽，1864年。

对于佩夫斯纳来说，尽管杜克（1814—1879）具有影响力，但有着两面性。杜克是一位十分重要的法国建筑师、工程师以及作家，他曾领导过法国的哥特式复兴运动，并提倡哥特风格应作为法国的国家风格。他24岁时接到第一项重要的委托——位于维兹莱的圣·玛德琳娜教堂[Sainte Madeleine]的修复建设。佩夫斯纳称他为“严苛的修复者”，他的名誉大多建立在修复教堂上，包括圣礼拜堂[Sainte Chapelle]、卡佩王朝的国王墓地[Parisian burial place of Capetian kings]、巴黎圣母院。他花了10年时间修复巴黎圣母院。他把教堂看作一个有机的统一体，一个由拱肋骨架支撑的嵌板结构。在他编写的《法国建筑逻辑词典》[*Dictonnaire raisonné de l'architeture française*]中，他展示了异想天开的风格如何通过改变结构得到合理的阐释，并分别在1863年和1872年出版了两卷本的《对话录》，显示他是具有远见的天才。在书中，他提倡使用现代材料以及发展新艺术形式的表达方式。中世纪艺术主导他很长一段时间，但他现在作为狂热的防御者捍卫着自己的领域，捍卫着新材料与新技术的使用，尤其是铁材。他主张“金属与砖瓦并用”。他预言并提出支架——轻量的金属骨架——可以拔地而起并覆盖砖瓦，并且预言了摩天大楼及路易斯·沙利文、维克多·霍尔塔以及其他人的作品的出现。

古斯塔夫·埃菲尔

法国工程师古斯塔夫·埃菲尔（1831—1923）出生于第戎[Dijon]，1858年修建了他第一座著名的工程项目：一座位于波尔多横跨加伦河的大桥。埃菲尔是第一位在桥梁中使用压缩空气沉箱[compressed-air caissons]的工程师，他还发明了可活动的桥，为尼斯天文台[Nice Observatory]设计了可活动的圆屋顶，但他最为人所熟知的作品是一座单一构造，并以他的名字“埃菲尔”命名的铁塔。当时，他受委托为1889年巴黎世界博览会设计一座独一无二的地标。

年轻的埃菲尔在勒瓦卢瓦-佩雷[Levallois-Perret]成立了他的铁作工作室，并于1876年在波尔图设计横跨杜罗河的大桥，并在1882年凭“加拉比高架桥”而成名。当然，他为法国雕塑家弗雷德里克-奥古斯特·巴特勒迪[Frédéric-Auguste Bartholdi]的大型铜雕“自由女神像”所做的架构同样著名。这座铜雕被装入200多个包装箱，经过大西洋运至美国，在1886年矗立在贝德罗岛纽约港的入口处。这座雕像是为了纪念美国革命之后法国与美国的紧密联系。他为金属的可塑性所着迷，进而把现代工程结构技术的各种可能性推到新的极限，尤其可以从埃菲尔铁塔漂亮的塔尖造型上看出。

上图
修拉：埃菲尔铁塔，1889年。

左图
埃菲尔：圣·茹斯塔升降梯，
里斯本，1902年。

6 英国，1890年到1940年

现在我们必须回到英国的建筑与设计。19世纪80年代末期，正如我们所了解到的，莫里斯是设计方面的领导者，而诺曼·肖则是建筑方面的领导者。故意与传统决裂是1890年欧洲那些最伟大的画家的艺术风格以及新艺术运动的开创者们的风格特征，但这些决裂并未适应英国的需求。所以我们现在才讨论英国从19世纪90年代至今的发展情况，这似乎也很合理。但至少已有一位英国建筑师在新艺术流行以前，就已大胆地使用模仿大自然的新风格，这便是查尔斯·F. 安斯利·沃伊齐（1857—1941）。[1] 他的风格受到了新艺术运动的影响。范·德·威尔德告诉作者，沃伊齐开创性的墙纸效果对他以及他的朋友的重要影响。[2] 他的原话是："这仿佛就像春天忽然降临。"事实上，我们只要看一看沃伊齐在19世纪90年代印刷的墙纸以及他后来设计的亚麻织物（见第145页），我们便可清楚地看出他与莫里斯之间的极大差别。他并非有意追求新奇，但他的创新与进步几乎是无意识的、自然而然的流露。遵循教条与严格的制度并非他的风格。在风格化的装饰与自然主义式的装饰的两派支持者的争论中他不袒护任何一方。在1893年的访问中，他声称现实主义并不适合装饰，但他还是倾向于采用植物和动物作为纹样装饰，只要它们"简化成符号"。这一点似乎与莫里斯不谋而合，但沃伊齐对于"工作与生活在当下"[3] 的殷切盼望中包含了一种截然不同的新理念。

因此，他的图案乐于接近自然面貌，又充满了装饰的魅力。沃伊齐最喜爱的装饰母题是或飞翔，或游荡，或休憩的姿态优美的小鸟，以及枝叶繁茂或树枝光秃的树梢。他绘制的树有如孩子般稚拙，但造型准确，周围还画着鸟与兽，画面温馨美丽。如果把他的这些墙纸和亚麻织物与莫里斯的忍冬花（见第45页插图）相比较，可明显看出他如何从19世纪的历史主义向着阳光与青春的新世界迈出了决定性的一步。

众所周知，在维多利亚女王的统治末期，英国的文化生活渴望新鲜空气以及愉悦地表达自我的氛围。1890年的解放极大地借助于精致的东方丝绸以及其他的中国进口产品。自从1860年以来尚未有人对中国与日本在欧洲艺术中所起作用的历史著书立说，如展示东方对绘画技巧的影响，那些自然流畅的线条、精致的轮廓，清晰、柔软、纯粹的色彩，画面平涂的效果，均是很有意思的事情。由于东方艺术综合了装饰性和"印象派的"独特效果，印象派画家以及与其对立的新

对页
沃伊齐：墙纸或纺织的未命名的设计，1909年。

艺术运动的开创者皆借鉴了日本木版画以及中国瓷器。印象派画家为了探讨光线的变化及其表现手法而前往日本游学，他们到室外作画［*plein air*］，学习掌握随意的笔触、平涂的效果，他们曾经将后者误认为是强烈阳光下无阴影的处理手法。他们的对手则比较合理，强调对东方艺术风格化的模仿，强调对东方艺术家每一根线条和每一个表面的准确模仿。这就是为何日本的木刻版画元素会出现在马奈的《左拉》[*Zola*]（见第127页上图）、德加的《缇索》[*Tissot*]、凡·高的《佩尔·唐基》[*Père Tanguy*]以及恩索尔的《东方绘画研究》[*Skeleton Studying Eastern Paintings*]的背景中。[4] 惠斯勒的例子尤其具有指导性，他的个案证明了同一个画家同一个时期可同时受到不同的东方艺术影响。在他的印象派肖像画《瓷器国公主》[*Princesse du Pays de la Porcelaine*]中，东方色彩、东方艺术的精美、东方绘画的构图如此明显，他无需用中国服装来强调画面的东方特色。与此同时，这幅作品所着重描绘的房间，而这整个房间的装饰风格尽管带有“历史主义”的痕迹，但明显地更趋向于新艺术运动。[5] 此外，惠斯勒主张墙面应朴素无华，敷以淡色即可。关于这一方面，他受到其朋友爱德华·戈德温的影响。戈德温的房子位于布里斯托，房屋里有着朴素的墙面、毫无装饰的地面以及日本版画，这些特点在第二章中已有论述。这些室内设计的特点大约出现在1862年，相当早。惠斯勒位于切尔西泰特大街的房子由戈德温设计，墙面是白色和大面积的黄色，地面铺上日式席子，直线折叠的单色窗帘、一些中国瓷器，还有少量带框的绘画作品以及铜版画。[6] 如果你试想一下这些房屋，我们会觉得立刻回到20世纪早期，而不是莫里斯和罗斯金的年代。而且，从理论上（如果这个字眼用于他偶一为之的议论不算太重的话）和技术上说，惠斯勒和其他人一样完全是位印象主义者，因此他成了那些采取新生活与新艺术观念的人强烈憎恨的对象。[7] 我们没有必要追究那些令人不愉快的事：即把惠斯勒与罗斯金对立起来。莫里斯决心追随罗斯金。[8] 这首先是原则性的问题，同时也是趣味的问题。那些奉伯恩·琼斯为维多利亚晚期最伟大的在世画家的人，必然不喜欢惠斯勒名副其实的表面的图像语言。

人们期望能在艺术与手工艺和印象派之间找到同样的矛盾，正如莫里斯和惠斯勒之间的矛盾一样。然而，事实上我们已提到了这与“二十人”团体展览之间的关系，这个展览是欧洲大陆专门为了引进印象派和新装饰风格而举办的，包括艺术与手工艺运动、新艺术运动，这两件事均是最近发生的，并且这些都归功于同一个人，那就是迈耶-格雷夫。迈耶-格雷夫是其中一位最先发现范·德·威尔德的人，他写过介绍雷诺阿、德加、凡·高与高更的书。即使到今天，大部分对艺术感兴趣的人，也都无法意识到印象派的学说与莫里斯及其追随者的学说之间的不可调和的差异。然而，印象派和艺术与手工艺运动存在的明显矛盾是由于

上图
莫奈：埃米尔·修拉肖像，1868年。

艺术表达方式的不同，而非两代人对文化理解上的差别。一方面，艺术观念被看作是对瞬间印象的描绘，另一方面，艺术家被认为是具有决定性的、最本质的表达；一方面，信奉为艺术而艺术的理论，而另一方面则要恢复艺术作为传达社会教旨的信念。印象派艺术家们代表了19世纪晚期巴黎所崇尚的优美高雅的奢侈风格，艺术与手工艺的“艰苦”精神在青年运动[Youth Movement]中具有举足轻重的意义，特别是在1900年及其后，这可以追溯到柏格森[Bergson]的哲学，并且在英国率先建立起了“现代”公立学校：阿博茨霍尔姆学校[Abbotsholme]（1889）与比德莱斯学校[Bedales]（1892）。

在设计方面，沃伊齐是这种崭新“生活趣味”[*joie de vivre*]的杰出代表，但绝不是唯一的代表。克兰后期的一些墙纸设计也不采取莫里斯厚重的风格。而弗兰克·布朗温[Frank Brangwyn]的纺织品设计则是另一个例子。只要欧洲大陆的建筑师们相信新艺术，那么，受到欢迎的主要是英国的墙纸设计，印花亚麻布、印花棉布等。一旦对“客观性”[*Sachlichkeit*]的新需求传播开来，英国建筑师和艺术家们在物体造型方面（而非装饰方面）的开创性工作就成为人们谈话的主题。有些人，像穆特修斯那样，对新艺术运动的标新立异产生厌倦之后来到

右图
希尔：衣柜，1900年。

上图
吉姆森：梯背椅子，1885年。

英国，看到沃伊齐设计的烤面包架、佐料瓶，必定会感到惊奇。那些令人耳目一新的简洁的墙纸是这些小件日用品的基调。它们的迷人之处纯粹出自于其造型的干净利落以及优美雅致。

对于即将到来的现代运动具有特殊重要意义的是，这种新精神在房屋内部装饰方面的表现。沃伊齐在1900年设计的位于赫特福德郡的乔利伍德果园住宅[The Orchard, Chorleywood]门廊就是一例，室内木制品均漆成白色，地面的瓷砖则为深蓝色，纵横交错的线条之间形成强烈的对比，尤其是楼梯的屏风（这类设计主题曾一度风行），家具造型大胆直接，但也略带夸张。

关于沃伊齐仍有一件必须被提及的事情，这件事使得他更加远离莫里斯，而离我们更加接近。他是一位设计师，并非手工艺人。他曾告诉作者，事实上他什么手工艺都不会做。欧内斯特·吉姆森[Ernest Gimson，1864—1920][9] 是英国最伟大的艺术家兼手工艺人，事实上他的情况也没有太多不同，尽管很少有人意识到这一点。他在手工艺方面确实受过训练，但他最著名的细木工、金工制作等确实不是他亲自动手制作的，他仅负责设计。从这里（见左图）可看到他真诚的态度，他对自然木料的感受以及他保守的观念。他的作品中采用这样简洁高妙的手法的为数不多。一般说来，吉姆森更接近英国传统，并且不会鄙视使用过去创造的各种形式。

与此同时，安布罗斯·希尔[Ambrose Heal，1872—1959]爵士制造了 真正建立在商业模式基础之上的优质先进的家具。在安布罗斯·希尔改变了生产制作的方向之前，希尔父子公司[Heal & Son]一直在制作维多利亚风格的家具。希尔在1900年的巴黎展览上展示的衣橱（见上图），和沃伊齐的墙纸一样具有相同的明亮色彩。轻微熏蜡的橡木表面与白镴和乌木装饰的小饰板形成对比。这里没有采用曲线，图案由矩形及优美的小花所组成。中世纪那种紧张的氛围已慢慢消失了，处在这些物件之中，我们呼吸到更新鲜的空气。

较希尔在展览上展出的作品更具有重要历史意义的是他们为普通市场所制作的产品。1898年，希尔为他的橡木家具出版了第一本产品目录《希尔橡木家具图览》［*Heal's plain Oak Furniture*］，并在英国开始复兴简朴的木床架生产。[10] 这些舒适的木床架在英国的家具交易市场上受到欢迎，并流行了20多年，最后被一些误入歧途的现代主义形式的支持者们所抛弃。

1890年至1900年间的家具制作上的这种对比趋势同样可从英国的印刷业中看到。莫里斯的凯尔姆斯科特出版社成立于1890年，出版的书籍以带有中世纪式精致的装饰而著称。科布登・桑德森与埃梅里・沃克的多弗斯出版社成立于1900年，本书在前面提到过，他们以朴实无华的风格在现代书籍印刷中占领了一席之地。

谈到英国的建筑，其历史地位比应用艺术复杂得多。直到1890年，诺曼・肖创造了一种风格，这种风格基于安妮王朝的风尚，诺曼・肖的风格如此的“现代”，完美地适用于英国的趣味和需求，只要公众不尝试把这种风格与传统割裂，便很难得到改进。最早且最引人注目的、与传统割裂的创新例子是麦克默多和沃伊齐早期的建筑作品（实际上比霍尔塔更早）。麦克默多位于恩菲尔德私家路（Private Road） 8号的房屋，建于1883年，展现出惊人的独特风格。平屋顶以及二层楼的横向窗户最引人注意。欧洲唯一与之相似的房子，就是戈德温在1878年为惠斯勒设计的房子，但这座房子更井然有序。1882年，麦克默多成立了世纪行会，这也是威廉・莫里斯的追随者成立的第一个艺术团体：手工艺人-设计师。麦克默多一生中最传奇的一页开始于1883年，他走向了新艺术运动之路。1886年，为了在利物浦的展览中展出他世纪行会的作品，麦克默多搭建了一个展台。柱身上粗下细，并用特大的檐口代替柱头，这些反复出现在封檐板的顶部的奇特形式，更具有原创性。当沃伊齐和其他的设计师开始借鉴这些形式时，它开始成为时尚。毫无疑问，麦克默多对沃伊齐产生了极大的影响。他自己对本书作者说他年轻时，麦克默多对他产生的影响比莫里斯的更大。沃伊齐修建的第一座房屋，位于贝德福德帕克[Bedford Park]诺曼・肖的郊区花园里，离伦敦很近（见第130页插图），大约修建于1891年，具有令人惊奇的独创性。其窗户的设计尤其引人注目。而且，这种自由组织窗户的形式在诺曼・肖及其追随者中尤为流行，诺曼・肖设计的郊区花园周围红色的砖与白墙形成突出的对比。高耸如塔般的房屋，光秃的墙面与水平的窗户构成跳动的节奏，是设计师有意引入的创新手法，并且具有年轻人的俏皮感。

然而，沃伊齐并没有在这个风格上走得很远，不然他便会发展成为新艺术

沃伊齐：莫尔斯汉格，吉尔福德附近，萨里，1896年。

建筑风格的建筑师。也在同一年（1891），他已经在伦敦西肯辛顿圣邓斯坦路[St. Dunstan's Road]成立了一间小型工作室，工作室大体上的比例较贝德福德帕克的花园建筑更接近于英国传统的小村舍，尽管小工作室的细节依旧引人注目，但那些巨大的烟囱、右边扶壁上的斜度以及前面的铁艺均受到麦克默多于1886年所创作的木构建的影响。

当沃伊齐开始接受乡间住宅的设计委托时，他对英国传统的偏爱越来越强烈。[11] 他强烈地喜爱大自然，他的设计证明了他确实如此。不然他也不会想到要把住宅与乡村的环境并置，而这些设计形式比他在伦敦设计的住宅更类似于英国传统的庄园和以前的村舍。他的乡村住宅设计开始于19世纪90年代早期，至1900年时已完成了大量的设计，但他从来没有建造过教堂、公共建筑，仅有一次设计过小型的仓库。

位于莫尔文丘陵科尔沃尔[Colwall, Malvern Hills]的佩莱科洛夫住宅[Perrycroft]建于1893年。这是沃伊齐心中关于乡村住宅面貌的典型想法。尽管带有令人惊讶的现代特色，如连续水平的开窗形式、屋顶冒出又大又高的烟囱，但这并没有表现出反传统的意思，其与大自然的环境和乡村建筑特点完美地融合在一起（花园是专门为住宅设计的并栽种了植物）。

这些特征在另一栋建筑中更加明显，这便是1897年为L. 克兰[L. Crane]于萨里沙克尔福德[Shackleford in Surrey]所设计的房屋。现在不容易欣赏到其直接与简朴的立面设计。因为至少在英国，它已成为成千上万的投机商人沿郊区公路两旁修建住宅时笨拙的模仿对象，以至于千篇一律，但是，从历史学家的观点来看，它仍然是一个不小的功绩，因为它为许多建筑创造了样式并且流行了超过

沃伊齐：博莱德斯，温德米尔湖，1898年。

30年甚至更久。毋庸讳言，那些没有被人从沃伊齐那儿抄袭的东西，不用说倒是他最进步的创作主题，时至今日依然引人注目——修长的带状窗户、非常光洁的三角山形墙，仅有一处点缀着小巧玲珑的窗户。

偶尔介绍下新艺术运动活泼有趣的手法将有助我们认识沃伊齐的住宅设计，否则显得太过朴素拘谨了。比如设计于1896年、位于吉尔福德[Guildford]附近脊丘上的莫尔斯汉格旅馆[Merlshanger]（见对页插图），沃伊齐典型的扶壁和远眺的屋檐承接着弧形的平整塔体，塔顶上有一根针似的风向标。同样是他最为成功的乡间住宅作品，1898年修建的、位于温德米尔湖[Lake Windermere]边的博德莱斯住宅[Broadleys]（见上图），其屋檐檐口也是由薄铁支架支撑着，这些精致的薄铁支架为整个立面增添了一抹轻盈感。

但这只是种轻盈的表层效果，使其看起来是合理、协调、充满活力的设计，而不是在玩弄任何新奇效果。这使得博德莱斯住宅前的水面特别动人。这里，我们非常清楚地看到沃伊齐反对诺曼·肖那种如画般的手法，也不喜欢新艺术运动珍贵的材料。中间的大窗几乎不带修饰，嵌在墙上的窗户也轮廓简洁，如同现代的建筑风格一样直接，或许比那一小部分19世纪晚期比沃伊齐更具革命性的英国建筑师的作品还要直接。他们中间有谁值得提及呢？也许是贝利·斯科特[Baillie Scott，1865—1945]，他比沃伊齐晚出道，受到沃伊齐很大的影响，[12] 还有C. R. 阿什比，他的写作和社会活动上文已经提及，早在1895年，他在伦敦切尔西切恩步道[Cheyne Walk, Chelsea]设计了具有原创性的住宅。[13] 最具意义并引人注目的设计是塔维斯托克广场[Tavistock Place]的玛丽·沃德住宅[Mary Ward Settlement]，由邓巴·史密斯[Dunbar Smith，1866—1933]和塞西尔·布

左上图
汤森德：霍尼曼博物馆，伦敦，1900至1902年。

右上图
汤森德：怀特查普尔美术馆，伦敦，1897至1899年。

鲁尔[Cecil Brewer，1871—1918]修建于1895年。这与诺曼·肖设计的软百叶窗帘和沃伊齐设计的突出翼的顶部都有很明显的联系。街区间的节奏，中央凹壁部分与没有门窗的砖墙和高耸的无装饰飞檐之间的比例关系，屋顶的挑檐又大又宽，所有的这些特点都直接指向今天的建筑风格，不对称的凸出的走廊比起沃伊齐曾经的设计更自由、更"有机"。

这种特殊的处理手法一定影响了老一辈的设计师C. 哈里森·汤森德[C. Harrison Townsend，1852—1928]，他主要的作品是设计于1897年至1899年间的伦敦怀特查普尔美术馆[Whitechapel Art Gallery]（见右上图）。但是汤森德的风格来源更复杂。一层与二层故意采用不对称形式，一长排特别低矮的窗户和用树叶纹样装饰着的墙顶饰带，毫无疑问，来自沃伊齐的风格，但是入口处笨重的拱门则反映了他对理查森20多年来在美国设计的建筑有一定的了解。[14] 如果这个假设是正确的话，这是第一个美国对英国产生影响的案例。长排窗户上平直的饰带令人想到理查森于1870年至1872年间设计的波士顿的布拉特广场教堂[Brattle Square Church]，这与汤森德设计于1900年至1902年间的另一件建筑作品，位于南伦敦的霍尼曼博物馆[Horniman Museum]（见左上图）有着更明显的联系。这种粗壮的圆角方塔，树状屋顶与沃伊齐和他追随者所喜爱的优雅的小尖塔是完全不同的。这几年汤森德的设计灵感，尽管说有可能来源于英国或国外，但毫无疑问，他大部分引人注目的作品在当时的英国建筑中，是与传统决裂、具有创新性的突出案例。

我们说的是英格兰，而不是不列颠。因为在格拉斯哥，这些年有一群与欧洲其他国家一样充满创造性和想象力的艺术家在进行创作。在绘画方面，格拉斯哥青年小组[Glasgow Boys]，E. A. 沃尔顿[E. A. Walton]、拉维利[Lavery]、亨利、霍奈尔[Hornel]等人已有相当高的知名度了。他们在国外举办的第一次展览给欧洲人留下了相当深刻的印象。但在设计与装饰方面，格拉斯哥学派[Glasgow school]于1900年在维也纳举办的首次展览上一举成名。

这个学派的核心人物是查尔斯·雷尼·麦金托什[Charles Rennie Mackintosh，1868—1928]和他的妻子玛格丽特·麦克唐纳[Margaret Macdonald]以及她的妹妹麦克奈尔夫人[Mrs. McNair]。[15] 我们谈及麦金托什时，终于可以把英国的发展和19世纪90年代欧洲大陆的主要趋势以及新艺术运动联系起来了。在其28岁以前，麦金托什被选中为格拉斯哥艺术学院设计一栋新建筑，这个大胆的决定主要由当时的校长弗朗西斯·H. 纽伯里[Francis H. Newbery]做出。这座新建筑开始设计于1897年，建筑的第一部分于1899年完工（见下图），这里找不到任何当时流行的风格。立面的设计非常具有个人特点，风格多样，引领着20世纪的建筑设计。带有阳台的入口凸窗设计和粗短的塔楼故意做得奇形怪状，与汤森德的同期作品并没有什么不同。但是立面的其他地方则非常简单，开窗手法粗犷且颇为简朴。底层办公室的水平窗户和顶层工作室的高窗均以直线为主，不带任何弧度；这种直线风格甚至延续到建筑前栏杆的设计当中贯穿于整个立面，顶部只有少量轻巧有趣的新艺术运动风格的装饰。同样的对比存在于刻板的二层窗户和底层奇怪的金属装饰之间，这些金属铁条可用于窗户清洗时作铺设之用。然而，即便如此，这排金属铁杆反映出麦金托什的设计灵感来源，同时也揭示出他最重要的风格特征。尤其是杆顶部分奇怪的球形，像铁制触须缠绕在一起，这个灵感来源很明显来自不列颠的凯尔特人和维京人的艺术。

麦金托什：格拉斯哥艺术学院，1896至1899年。

除了学术界之外，这种风格在当时颇受欢迎。[16] 这些球形与触须充分展示了麦金托什的强烈空间感。在看到立面的坚固大石墙之前，人们的眼睛必须先穿过第一层空间中的球形和触须设计。我们可以在麦金托什所有的主要作品中发现同样通透的纯空间感。

建筑底层的设计清晰明了，展示了建筑师另一个关于空间的兴趣点，这个兴趣极少存在于新艺术运动的建筑师之中。另一个例子也许可以证明空间真的是麦金托什创作的关键点：格拉斯哥艺术学院图书馆的室内设计。该图书馆是西翼中部的主体，设计于1907年（见对页左下图）。高大的房间里的简单装饰主题配上三面柱廊，效果是如此强烈，就像一首让人印象深刻的由抽象形式合奏的复调音乐。柱廊并没有伸出接触到那些分割底层“过道”[aisles]和“本堂”[nave]的柱子。横梁连接墙面和柱子，用以支撑柱廊。透风的栏杆带有新艺术运动的装饰细节，从柱廊的护墙直接连到柱子。它们唯一的目的是展示有趣的透视效果。弧线偶尔会在麦金托什早期的作品中出现，但现在已完全不见了。竖线与横线、方形与长方形决定了整个效果。这件作品与作者在同一时期的主要作品——1904年建于索赫霍尔街[Sauchiehall Street]的克兰斯顿茶室[Cranston Tearoom]（对页右下图）——创造的许多迷人的景象均表示了他与弗兰克·劳埃德·赖特是同道中人，同时也与把玩建筑空间的天才和先驱者之一的勒·柯布西耶有共同之处。勒·柯布西耶曾表明他渴望在建筑中创作诗意。麦金托什的态度与勒·柯布西耶非常相似。建筑在他手里变成抽象艺术，既有音乐的节奏感又有数学的精确性。

格拉斯哥艺术学院的西翼立面就是一例。这里，抽象艺术家首要关心的是塑造体量感而非空间，是实体，而非虚空。窗户上笔直纤细的杆条的美学价值在于它们整个独立的功能。透雕与琢石的对比，左边光洁、无装饰的墙面与右边复杂丰富的复调音乐般装饰之间的对比，产生的效果更接近于抽象浮雕作品，而不是沃伊齐一派的建筑样式。

大致留意一下格拉斯哥艺术学院早期和晚期两部分的建筑，可看出麦金托什在1897年至1907年间的建筑趣味。精致的直线形金属装饰已经不再采用，方正粗放风格的盛行颇令人感到惊讶。这些特色看起来正是麦金托什接受民族传统的一种方式。相较于其诸如格拉斯哥艺术学院这样的公共建筑，他与从前的苏格兰建筑中古色古香的传统之间的联系，也许更能反映在他的乡间宅邸设计上。如果我们看看麦金托什于1902年至1903年间设计的、位于海伦斯堡[Helensburgh]的山丘宅邸[Hill House]中整体的装饰形式以及外轮廓、陡峭的山形墙以及一排排的大烟囱，就能准确无误地证明这一点（见第136页插图）。一旦我们承认这一点，格拉斯哥艺术学院图书馆的西翼就能表明他采用了苏格兰传统的风格特点，譬如把它设计在通往大门那条街道的陡坡上。事实上，它的魅力在于传统元素与按功能大胆布置的窗户以及狭长角状直立的怪异粗糙材质的综合使用。在这种风格的影响下，直接导致了奇特和短暂的表现主义建筑的出现，尤其是荷兰的建筑，有段时间曾推进了1920年现代主流建筑的进步与发展。[17] 荷兰建筑师是否注意到麦金托什的建筑目前尚未确定。他们的主要灵感来源并不是来自国外，而是来自H. P. 贝拉赫[H. P. Berlage，1856—1934]。贝拉赫被认为是整个欧洲的伟人，他更像是沃伊齐的同道者，而非麦金托什，他们都相信发展本土传统可通向现代。他的理论起点是对荷兰中世纪砖砌建筑和手工艺的信仰。这使他最著名的建筑，设计于1898年的阿姆斯特丹交易所具有坚固、稳健、可靠的特点。建筑的内部更甚，位于海牙[The Hague]谢尔文舍・维克・欧德第42—44住宅[Nos. 42—44 Oude Scheveningsche Weg]表现出更奇特、尖锐、锯齿状的砖墙和铁艺，使人联想起高迪的表现主义。比贝拉赫年轻15岁的J. M. 范・德・梅[J. M. van der Mey]于1911年至1916年间设计了阿姆斯特丹运输商行，这个时期正好是本书讨论范围的终点。范・德・梅设计了带有贝拉赫表现主义主题的巨大立面，将他自己稳健的风格粉碎得荡然无存。荷兰的建筑表现主义比其他地方要早5到10年左右达到成熟状态。运输商行是一方面，高迪的作品是另一方面，它们联结了新艺术运动与表现主义。

然而，麦金托什的晚期作品与欧洲大陆之间，及其早期作品与特定的欧洲

左下图
麦金托什：格拉斯哥艺术学院，1907至1909年。图书馆室内设计。

右下图
麦金托什：克兰斯顿茶室，索赫霍尔街，格拉斯哥，1897至1898年。室内设计。

麦金托什：山丘宅邸，海伦斯堡，格拉斯哥附近，1902至1903年。

国家（奥地利，具有丰富多样的历史趣味）之间的关系是一个很复杂的问题，需要更多深入的讨论。麦金托什早期的室内作品——或者我们应该说是麦金托什和玛格丽特·麦克唐纳的室内作品——与维也纳分离派明显的相似之处经常被人讨论。坐落在布坎南街[Buchanan Street]、设计于1897年至1898年间的克兰斯顿茶室（见第142页）应该与这一问题关联起来加以研究——顺便提一下，这是英国茶室运动中首座纪念碑式的作品，这个运动反对酒馆强调舒适但不透风的设计，再一次突出了对健康与优美环境的新需求。在布坎南街道上，茶室墙壁上装饰着同样细长优雅的线条，同样极度苗条的人物，这些我们都可在克里姆特及其追随者的作品中看到。茶室始自1897年，这一年克里姆特的艺术手法仍以早期新艺术运动的风格为主（见第146页）。一年后的1898年，分离派出版了他们的期刊《春之祭》，期刊上的装饰与麦金托什的风格惊人地相似。《画室》在1897年发表了几张克兰斯顿茶室的设计稿，人们可以肯定地推断分离派艺术趣味的改变至少部分原因是受到麦金托什作品的影响。[18] 事实上这个假设被以下事件所证实：1900年，分离派在维也纳与麦金托什关系密切，并邀请他的团队在维也纳年度展览上展出作品；1901年，作为回应，麦金托什为弗里茨·瓦恩多费尔[Fritz Wärndorfer]的音乐房进行装修；两年之后，弗里茨出资建立了维也纳艺术与手工艺工场[Wiener Werkstätte]。音乐房的装饰主题来自美特林克[Maeterlinck]的《七公主》[*Sept Princesses*]。维也纳艺术家对麦金托什的风格所表现出的激动兴奋之情被艾勒斯·赫斯特曼[Ahlers Hestermann]描述得极好。他写道："事实上，这是一个古怪的结合，有为了实际使用目的而设计出的清教徒般的严格拘谨的形式，也有为了各种趣味而设计的热情奔放的发散性的手法。这些房间就像梦境一般，宅饰板、灰丝绸、非常纤细的木杆——到处都是竖线条。方形的小碗柜，顶端出挑的檐口，光滑的表面，看不见框与板的结构；笔直、白色、外表严肃，它们仿佛正准备她们的第一次圣餐的少女——但不是真的；因为在木橱的某些地方，有一块像宝石般的装饰，并不干涉整体外形，线条优雅，就像范・德・威尔德在远处发出的微弱的回声。这些迷人的比例，贵族气息的效果一定是用珐琅、彩色玻璃、半真不假的宝石、敲平的金属薄片进行镶嵌，迷倒了维也纳那些已有点对不列颠金碧辉煌的室内设计感到厌倦的艺术家。这里神秘主义与禁欲主义同时存在，当然这不是从宗教意义上说的，而是充满了鲜花的芳香、典雅精致的感官享受……作为反对以往过度拥挤的室内，房间里几乎没有什么陈设，除了两把直线形的椅子，椅子后背和人一样高。椅子立在白色的地毯上，寂静的、幽灵般地矗在小桌子的两边……迈耶-格雷夫写道，‘这是为了美丽的灵魂而准备的房间’[*Chambres garnies pour belles âmes*]。”

这些创意的初衷是麦金托什为了参加由德国科赫[Koch]出版社于1901年举办的竞赛而设计的（见第138页插图）。这里的所有设计，艾勒斯・赫斯特曼均有谈论，而且我们也可清楚地看出麦金托什是从沃伊齐、比亚兹莱、托罗普那儿获得灵感。[19] 这些风格的综合是不列颠向即将发生的现代主义运动所贡献出的财富。第一次世界大战以前，没有其他的不列颠人对欧洲建筑做出过足以在这里讨论的贡献。[20] 由于各种原因，英格兰丧失了其在1900前后新风格成长过程中的领导地位，正是这个时期所有的先驱们开始转向一场全球性的运动。其中一个原因在第一章中已提及[21]，这场大运动来势汹汹——真正的建筑风格必定是为了每一个人的——这与英国人的性格大相径庭。诸如此类的反感阻止了他们大胆地反叛传统，而这对获得适合我们这个年代的建筑风格是至关重要的。因此，正当欧洲大陆的建筑师发现未来英国建筑和英国工艺真正的风格元素时，英国自身却退守到折中的新古典主义中去，对今天的问题与需求几乎没有任何关注。新乔治亚风格与新殖民地风格的乡村及城镇住宅变得非常流行；在银行等公共建筑中，一排排庄严又巨大的柱子重新出现，而且与美国有着一定关系，在1893年芝加哥展览过后，美国开始出现了反对芝加哥学派与沙利文的类似反应。1908年，伯纳姆建于伦敦的塞尔福里奇百货大厦非常直接地公开展露出这种趋势。

1900年之后不久，英国建筑对欧洲大陆的重要性忽然开始减弱，这一点从城市规划发展中得到证实。英国的建筑在19世纪后半叶一直处于领先地位，为工人规划设计的平房和公寓可以追溯至19世纪40年代。[22] 第一次对小型住宅房地产的规划可归因于几位进步的制造商（提特斯・萨尔特[Titus Salt]爵士于1851年开始建设索尔泰小镇住宅[Saltair]）。[23] 位于伦敦贝德福德帕克最早的半独立砖砌房屋处在树丛之中，充满了睦邻友好的氛围，是基于诺曼・肖在1875年的设计所

麦金托什：鉴赏家宅邸中的餐厅，1901年。

建造的。贝德福德帕克建成不久，日光港[Port Sunlight]和伯恩村[Bournville]开始为大公司的员工兴建花园式住宅。日光港由里维尔[Lever's]公司从1888年开始建造，伯恩村由坎特伯里[Cadbury's]公司于1895年开始建造。

埃比尼泽·霍华德[Ebenezer Howard]在他著名的著作《明日：一条通往真正改革的和平之路》[*Tomorrow：a Peaceful Path to Real Reform*]（1898）中提出了独立的花园城市概念。这一理念由莱奇沃思[Letchworth]的建设者所采纳并实践。由雷蒙德·昂温[Raymond Unwin]和巴利·帕克[Barry Parker]于1904年开始了花园城市的规划。同样也是这两位建筑师负责为汉普斯特德花园市郊[Hampstead Garden suburb]（1907）做的规划。

这些英国住宅极大地影响了欧洲住宅。1891年，克虏伯[Krupp]开始了他的首个工人住宅建设。德国首个独立花园城市位于德累斯顿的黑勒劳[Hellerau]，由德意志工场发起并兴建于1909年，由李默斯密特规划。但是，德国人对于住宅的兴趣很快发生了变化，由喜欢兴建小户型住宅变成兴建由街区和公寓组成的大户型住宅。自1900年到第一次世界大战之间，这一点和整个城市规划是德国城镇规划者们的主要研究对象。

1850年至1914年的城市规划历史与当代建筑和装饰的发展有着惊人的相似之处。19世纪的最后25年里，建筑师们承担着两项重大任务，一是维也纳环城大道[Viennese Ringstrasse]，就像个光彩夺目的戒指，当中的个体建筑与整个建筑几乎没有任何联系；另一项任务是豪斯曼[Haussmann]开辟了几条林荫大道直接通往巴黎市中心，从空间上看非常注重建筑艺术，并没有忽视建筑的体量，这令人印象深刻。然而，巴黎和维也纳一样，清除贫民窟以及安排贫民新住处的社会问题仍未得到解决，同样的问题也发生在欧洲其他国家和美国的城市中。1890年出现的新趋势也没有解决这个紧急的问题。芝加哥的伯纳姆在美国发起了建设城市中心[Civic Centres]纪念碑的运动，这场运动在1900年后也征服了英国。在德国，卡米洛·希特[Camillo Sitte]在《城市建筑艺术》[*Der Städtebau*]（1889）一书中提出反对新巴洛克式广场和道路的空旷宏伟，提倡更自由的、如画式的中世纪城市规划。但希特和伯纳姆仍然将个别项目规划发展作为专门的思考对象。

这里已经表明城镇规划不仅是展示城市的力量，还要展示为所有市民的福利与舒适度进行的规划，这缘起于英国，而且十余年里仅保留在英国。但是，只要规划被用于比公司的花园住宅更大的地方上时，市政当局不得不开始替代私人公司。这个阶段一旦来到，一个非常特殊的情况便会出现，英国开始掉队，德国开始占据主导地位。德国许多城镇拥有大量建筑用地，而且在立法的支持下，他们尝试获得更多的土地。特奥多尔·费舍尔是其中一位精力最充沛的建筑师，他在19世纪90年代被评为慕尼黑城市建筑师；当时，1901年《城市建筑艺术》出版；诸如纽伦堡、乌尔姆、曼海姆、法兰克福这类城镇都制作出城市中心与郊区发展的全面规划方案；1910年城镇规划展览在柏林举办，这被认为是“一战”前繁荣的各种新趋势的最后总结。[24]

自从1918年开始，大户型住宅开始在荷兰、德国、奥地利兴建，这些大户型住宅比起其他的建筑更能吸引其他国家对现代建筑风格的兴趣。在英国，1930年以前，人们几乎对工人阶层的住宅不感兴趣。1900年至1925年期间的风格是由美国、法国和德国的建筑师发展起来的。

日本主义

19世纪50年代后期，随着日本对西方贸易大门的打开，日本主义风格横扫整个西方国家的时尚圈，此前近半个世纪时间日本与西方之间的贸易大门紧锁着。1854年由司令官马修·C. 佩里[Matthew C. Perry]起草的贸易条约为大量的景泰蓝珐琅、瓷器、丝绸、漆器、墙纸等打开了销路，吸引了一批热衷于此的艺术家们的欢迎，如惠斯勒、马奈、图卢兹·劳特累克、凡·高以及许多印象主义画家，对日本主义风格的狂热被企业家如萨穆尔·宾扩散至更广泛的范围。他在巴黎开了一家专营日本主义风格艺术品的百货商店，伦敦的年轻人亚瑟·利伯特在1862年的南肯辛顿国际展览中首次观看了日本主义风格画展，游说他必须买下所有他能买的物品，并在法莫与罗杰斯公司[Farmer Et Rogers']的地下室开了一间专营东方物品的商店，销售日本和服、折扇、地毯、墙纸、丝绸以及屏风。西方的艺术家和设计师从浮世绘印刷品和葛饰北斋、葛川广重、喜多川歌磨的木刻画中吸取灵感，开始与日本艺术家合作共同装饰他们自己的房屋。日本的装饰主题如竹子、紫藤、樱花以及荷花开始受到欢迎，独立制陶师用日本釉进行试验，而商业工厂则开始研究日本青花瓷。

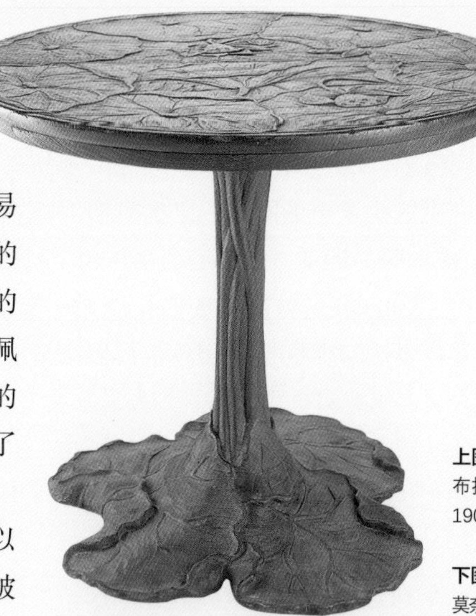

上图
布拉德斯特里特：莲花桌子，1905年。

下图
莫奈：《日本印象》，1876年。

花园城市运动

结合20世纪初艺术与手工艺运动观念的花园城市运动对于佩夫斯纳来说，是最后一场对欧洲大陆产生巨大影响的运动，欧洲大陆的建筑师以及城市规划师快速地把一排排安静的郊外房子变成“多姿多彩的链条”，例如维也纳环城大道的原创设计，以及李默斯密特在德累斯顿黑勒劳的砖砌房子设计。佩夫斯纳追溯了北方工业化的花园城市运动下优秀的原作，如提特斯·萨尔特爵士（索尔泰小镇）、威廉·赫斯基思·里维斯[Wllliam Hesketh Lever]（日光港）、约瑟夫·朗特里[Joseph Rowntree]（爱尔斯维可[New Earswick]）以及坎特伯里（伯恩村），他们希望为工人提供一个舒适愉悦的住宅，并设计公共用地，如游乐场、公共浴室。巴利·帕克和雷蒙德·昂温为老年人设计的低廉的住宅，他们的设计后来成名了。花园城市运动的支持者负责的首个花园城市（莱奇沃思）位于伦敦西北方的赫特福德郡和汉普斯特德郡郊外花园，亨利埃塔·巴尼特[Henrietta Barnett]希望建立各个阶层与不同年龄段的人的理想和谐的社区。M. H. 贝利·斯科特[M. H. Baillie Scott]、埃德温·勒琴斯[Edwin Lutyens]以及佩夫斯纳所喜爱的沃伊齐的建设性的理论和设计存在于——拙劣的复制品——成千上万的住宅当中，在“二战”期间由投机的建筑师建造，这使得佩夫斯纳有点抱怨“偏远地区的独立式住宅成了挖苦沃伊齐设计的对象”。

诺曼·肖：贝德福德帕克中的商店立面图，伦敦附近，1880年。花园城市蓝本。

麦金托什与格拉斯哥学派

苏格兰建筑师查尔斯·雷尼·麦金托什为佩夫斯纳提供了他一直在探索的关于欧洲建筑中不列颠建筑发展与新艺术的发展趋势之间的联系。麦金托什在28岁时就已显露出他的才华，他赢得了设计格拉斯哥艺术学院的竞赛。麦金托什与他的妻子玛格丽特·麦克唐纳，以及小姨子弗朗西斯及其丈夫赫尔伯特·麦克奈尔[Herbert MacNair]（他们曾是格拉斯哥艺术学院的学生）成立著名的格拉斯哥四人组[Glasgow Four]。他们的设计以少见的白色调的室内装饰与轻快的陈设为主，以捍卫室内装饰美学的整体性，提升日常物品的艺术品位，是新艺术运动设计的先驱。他们所画的古代凯尔特装饰轻松随意，把日本艺术运用到纺织品、家具、珐琅、珠宝、银器和刺绣上。麦金托什雄心勃勃地为企业家凯瑟琳·克兰斯顿[Catherine Cranston]设计格拉斯哥艺术学院茶室，使得更多人了解他的作品。他为成功的出版商威廉·布莱克[William Blackie]设计的山丘宅邸获得了国际声誉，风格上极度现代主义，开始远离从家乡发展起来的艺术运动，如艺术与手工艺运动等。格拉斯哥四人组的先锋风格受到了热烈的欢迎，尤其是在欧洲，正如佩夫斯纳所说的，格拉斯哥四人组对欧洲大陆的设计以及建筑设计的影响非常深远。

上图
麦金托什：高背椅子，1897年。

下图
麦金托什：克兰斯顿茶室，布坎南街，格拉斯哥，1897至1898年。

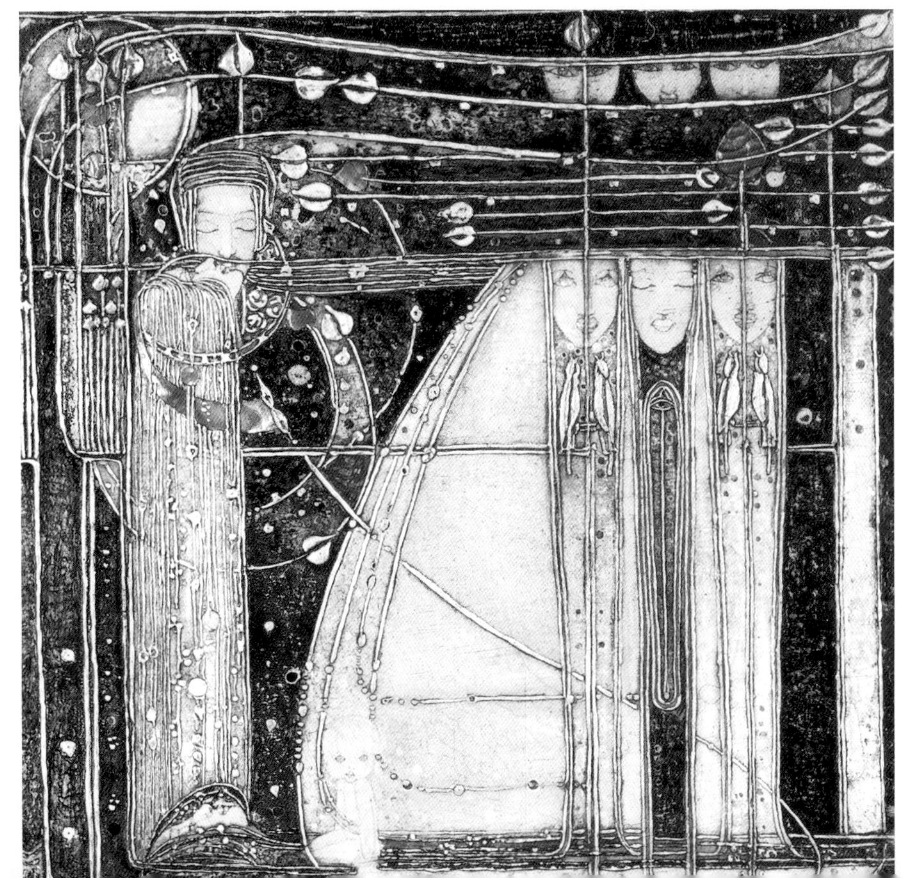

上图
麦克唐纳与麦金托什：《仙后泰坦妮亚》，1909年。

左图
麦克唐纳与麦金托什：《海之歌》，1903年。

查尔斯·弗朗西斯·安斯利·沃伊齐

佩夫斯纳评论沃伊齐（1857—1941）“离莫里斯很远，离我们却很近”，他明显暗暗地仰慕着这位坦率的英国建筑师。沃伊齐被公认为艺术与手工艺时期最为多产的设计师，作品以严格苛求细节、微妙的比例以及简洁的形式而著称。尽管他从来不设计贵族气派的大厦，像诺曼·肖以及勒琴斯那样，但他却成为“艺术的”住宅与乡间宅邸方面的设计大师。他急切地渴望恢复建筑作为一切艺术之母。他的设计对欧洲大陆影响深远，不断地强调诚实、原创、简洁的重要性，希望他所设计的房子无论里外均能流露出温暖、受欢迎、友爱之感。他可以按照各种需求装饰房子，从门上的信箱到地上的地毯。他所设计的纺织品、陶瓷、墙纸、家具和金属制品如此优雅与新奇，按照佩夫斯纳的说法，他的设计“没比莫里斯的作品更缺少革命性”。由于佩夫斯纳的推崇，确立了沃伊齐在即将到来的现代主义运动中的地位——他为自己设计的房子“新奇、精致、可爱”，他的家具和手工艺品因“外形干净优雅”而充满魅力。

对页左图
沃伊齐：贝德福德帕克宅邸，伦敦附近，1891年。

对页右图
沃伊齐：纺织壁挂，1897年。

对页下图
沃伊齐：家园，海畔弗林顿，1905年。

下图
沃伊齐：W. 巴克利住宅设计，1889至1894年。

7 1914 年之前的现代运动

在第一次世界大战之前的15年里发展最为迅速的国家是美国、法国、德国以及奥地利。首先，美国取得领导地位，但没有发展出一种被广为接受的风格。这种开创精神被局限于少数伟大的建筑师身上，甚至可以说是仅限于一位设计师。在法国，呼之欲出的新风格某种程度上发展得一气呵成，但也仅局限于一小撮工程建筑师。只有德国，以及那些位于欧洲中部而且依赖于德国的国家（瑞士、奥地利、斯堪的纳维亚）对那些早期先锋者们取得的大胆成就表示欣赏，我们这个时代普遍接受的这些成就是从他们的个人经验中逐渐形成的。

在第一次世界大战爆发前，法国对现代运动的贡献尤其表现在两位建筑师的作品上：奥古斯特・贝瑞[Auguste Perret]与托尼・贾尼尔[Tony Garnier]。贝瑞生于1874年，贾尼尔生于1869年。[1] 他们最为出众之处是率先在建筑的内部与外部采用混凝土，没有遮掩材料及其特征，也没有采取任何过往的风格精神。就此，他们超越了波特在圣・让・德蒙玛特尔教堂所采用的形式，尽管波特实际上并没有模仿哥特式建筑，但仍然倾向于通过混凝土作为媒介来表达中世纪教堂所蕴含的感觉。在贝瑞的作品里，则丝毫没有这种优柔寡断的感觉。位于富兰克林大道25号的公寓楼由他建于1902至1903年间，这座建筑的底层及立面都设计得相当利落，他本人也居住于此（见右图）。这座建筑共有八层高，以一个混凝土框架构成。最高的两层的递减方式成为美国高层建筑的必要形式，同时在欧洲也越来越受到欢迎。在顶层开阔的阳台上栽种一些植物，预示着空中花园的来临。在住宅建筑的立面中显露出其结构，达到了前所未见的程度。尽管填充着带有简化枝叶装饰的陶瓷板面，眼睛受到了这些填充物的干扰，但前面纵横的梁柱仍然很显眼。这样的裸露结构在这座建筑建成之时看起来是非常大胆的。对将来的发展尤其重要的是其突出与收缩的复杂性，以及丰富的空间效果。几乎不可能在各个垂直平面中确定哪一个能够被称为真正的立面。两扇入口大门上设计了一列方形的凸窗，因此六层楼看起来没有任何支撑却有平衡的感觉。中间的建筑立面缩进，但在中部偏右的地方设计了另一排细长的凸窗。在欧洲建筑师当中只有麦金托什有着同样出色的空间想象力。

上图
贝瑞：公寓楼，富兰克林大道25号，巴黎，1902至1903年。

对页
沙利文与赖特：查恩利住宅，芝加哥，1891年。

同样具有革命性风格的是托尼・贾尼尔在1901年为工业城市设计的规划，该规划在1904年公开展出。[2] 贾尼尔（1869—1948）获得了法兰西学院奖学金

上图与下图
贾尼尔：工业城市，1901至1904年。盖顶之下，行政大楼；街道；庭院。

[Pensionnaire de l'Académie de France]，当时他在罗马从事有关规划一座现代城市的任务。通过主题选择、处理方式以及具有引导性的评论伴随其表现以抵制所有的形式主义。贾尼尔大胆地写道："就像所有基于虚假原则的建筑那样，古代建筑就是一个错误。只有真实是美丽的。在建筑方面，真实是计算的结果，通过计算令已知材料满足所知需求。"[3] 因此，他在选择城镇规划时力求以一个线性的规划来反对同心式的规划，合乎情理地组织工业、行政以及住宅建筑，并且有足够宽敞的空间；他喜欢平坦的屋顶，学校要有开阔的室内操场，而且他拒绝任何狭窄的内部庭院。此外，他所设计的一些工业城市中的建筑看起来完全就是现今建筑的样子。误判建筑物建造时期的可能首次出现。在行政建筑（见上图）里，平坦的房顶完全没有装饰线条，而且上面的长顶盖右面有少量的支柱以及明显的脊梁——整个看起来几乎不可能是这么早期的设计。再者，在火车站里通透的混凝土塔以及立面上没有变化的格子，还有带有极细支架的挑檐，也完全是20世纪的样子。[4] 立体主义的小型住宅（见左图）以及街道上栽种的随意成组的树丛以及一片片的草坪亦是如此（见左图）。方形的翼部与形状独特的穹顶中心相结合，就像覆盖着酒店庭院的玻璃穹窿那样令人感到惊奇（见第149页插图）。这种材料看起来就像是流行于20世纪二三十年代的玻璃砖。同样流行的是显露在外面的螺旋楼梯间，在工业城市的规划方案中也有预见，在一座大楼中的楼梯塔

一边似乎可以回溯到布卢瓦城［Blois］，一边仿佛能够展望到1914年及之后。

贾尼尔为工业城市所做的设计在技术上最令人感兴趣的特点是行政大楼中的梁架结构。这表明直到1904年，关于混凝土承重能力的知识依然不完善。工程历史学家可以探讨这个观点。贝瑞在富兰克林大道的建筑以及直至其最后的职业生涯里还像从前那样使用混凝土，而其楣梁的设计方式依然来源于石材建筑物。一直被赞赏为率先将混凝土的抗压与抗拉伸优点融于一身的是亨纳比克［Hennebique］的学生、瑞士工程师罗伯特·麦拉特［Robert Maillart，1872—1940］。[5] 他在1905年设计的塔文纳萨大桥［Tavenasa Bridge］，桥拱与桥道的结构融为一体。维系它们的厚板材，一个是弧形的，另一个是横直的，都是支撑结构的元素。麦拉特运用同样的原理，以蘑菇形柱作为建筑结构承托起屋顶上的厚板材。他的经验率先在1908年产生影响，就在这一年，美国工程师C. A. P. 特纳［C. A. P. Turner］在《西方建筑师》［*Western Architect*］杂志上发表了一篇讨论由他所开发的类似技术的论文。1910年，麦拉特使用这个“整体化”［monolithic］新方法建造起他的首个库房建筑。

麦拉特的桥梁以及贾尼尔的设计草图中神秘的梁架，使人们意识到一种全新的20世纪的美学可能，蓄势待发。但法国并不是推动这些可能性进一步发展的国度。事实上，法国此时已退出了我们的视线。在1904至1921年间，除了勒·柯布西耶设计西特洛翰［Citrohan］住宅的那一年，法国没有任何国际性的重要贡

贾尼尔：工业城市，1901至1904年。四座私人住宅。

左上图
赖特：希斯住宅，布法罗，1905年。

右上图
赖特：温斯洛住宅，河岸森林，伊利诺斯，1893年。

献。勒·柯布西耶[6]（出生于1887年）是位瑞士人，但他整个职业生涯几乎都在巴黎度过。本书没有打算收录他在1921年之前的作品，因为那时他还不能与投身于这个领域中的先锋建筑师比肩，尽管他努力在其写作中让自己显得像是一位先驱者。他设计过一个名为“多米诺”[Domino]的房产项目，这个设计自1915年开始，完全由混凝土建筑而成，具有相当的前瞻性；而在1916年，勒·柯布西耶还建造了一座私人宅邸，这个作品仍处于贝瑞或范·德·威尔德在战前所达到的水准之下。[7]

弗兰克·劳埃德·赖特自己所写作的文字也与勒·柯布西耶的一样具有误导性，但其早年的先进成就是显而易见且得到公认的。而且赖特还不只是一位先驱者，还是一位先驱者的学生以及追随者。前面对沙利文的革命性理论已经做过大量讨论，包括他的革命性装饰理论，以及他对早期摩天大楼的革命性处理。他最令人感到赞叹的是在美学上的成就。施莱辛格·梅尔[Schlesinger & Mayer]，即芝加哥现时的卡森·皮里·斯科特百货公司，这座大楼于1899年建于麦迪逊街，后来于1903至1904年沿街角加建，将整个建筑扩展至斯塔特街。地面首层与二层的装饰是沙利文当时最为新颖奇特的设计，而其他楼层则展示出20世纪较任何我们此前所述及的建筑中更加突出的韵律感。这里再重复下，一张显示细部的外景照片中，这几排横向的窗户与连续地水平分隔它们的边带，无疑会让许多人误判其建造的时间。

与此同时，弗兰克·劳埃德·赖特怀着同样的勇气开始了对私人住宅的改革。[9] 他受理查森的设计的启发，学习沙利文的工作室在住宅设计的形式与方向上所取得的突破。他建于1891年的、位于芝加哥阿斯特街的查恩利住宅[Charnley House]（见第146页插图），似乎同时反映出沙利文在温莱特大厦上的设计风格，并且预示了赖特后来的发展趋势。因此，可以确信这反映出赖特在受聘于沙利文之时已有着相当独立的设计。在时间与原创性方面，与玛丽·沃德住宅旗鼓相当。

两年后由他设计的、位于里弗·福利斯特的温斯洛住宅[Winslow House]（见对页插图）也有着同样宽阔、平坦的表面以及同样对水平感的强调。在这座建筑的楼上仍旧采用沙利文的方式作装饰，还没有表现出赖特对未来空间规划的把握。同时相对于沃伊齐1893年在科尔沃尔的设计，明显地反映出赖特正在脱离前辈的影响，而沃伊齐则朝向古今融合的方向进发。

在1900年前后，赖特对立体构图技巧的掌握已趋成熟。他于1902年为位于麦迪逊的亚哈啦船俱乐部[Yahara Boat Club]做的设计项目，篷顶覆盖着两扇门并且伸出门外，令外部空间紧靠房子的主体，而房子又依旧保持着非常对称的造型。或高或低的窗户也完全展现出20世纪风格独特的韵律感。

三年以后，他设计的、位于布法罗的W. R. 希斯住宅[W. R. Heath House]（见对页插图）采用了自由松散的平面布置，使得人可以在房间之间轻松地互相走动，并且有着宽阔、自由、无拘无束的轮廓。赖特非常钟爱这种草原风格，在内外空间之间不再有任何拘谨的边界。然而赖特从未抑制对类似欧洲布尔拉格装饰[Berlage]的粗犷朴拙装饰形式的偏好，低矮宽敞的室内设计依然有着某种引人入胜的魅力。当1910年与1911年两本德文出版物将赖特的风格介绍到海外时，荷兰无疑是第一个对其独特风格产生好感的国家。[10]

温斯洛与希斯住宅呈现出的赖特早期作品与成熟作品之间的差异，同样也能够从他在1895年设计的摩天大楼与1904年设计的、位于布法罗的拉金大楼[Larkin Building]之间发现（见右图）。这座摩天大楼依然是他对沙利文思想的转达；而拉金大楼则有着笔直陡峭的墙面，没有窗口或壁龛或装饰线条，并且带有非常简单的矩形侧断面以及层拱，令人印象十分深刻，就是今天所见到的那种棱角分明的处理方式。在内部设计上将所有楼层联结成一个整体，赖特十分钟爱这种“美化”效果，也许可以溯源至欧洲的百货公司设计。赖特独特的设计形式在“一战”后变成欧洲许多办公大楼建筑的范本。

总之，弗兰克·劳埃德·赖特的重要之处便在于1904年时他的建筑设计实际上已非常接近今天的风格，而此时除他之外还没有其他人能做到。赖特后来的活动并不在本书的讨论范围之内，而且，因为直至1914年之前同辈的建筑师及其

下图
赖特：摩天大楼设计，1895年。

底图
赖特：拉金大楼，布法罗，1904年。

追随者的作品均未有增加任何能够超越这位大师的见地，就此有关美国的建筑设计便不作赘述。

因此，以下的篇幅将会完全集中于德国与奥地利，还有一个瑞士与一个意大利的案例。由于自身的理性使得英国没有迈入新艺术运动，却让他转向更简约且严谨的风格，而美国正追逐着大型办公楼建筑的技术发展需要，法国则延续着19世纪工程建造的华丽传统，只有德国在1900年时几乎完全处于新艺术运动的统领之下，就像她在过去的数个世纪里经常沉迷于狂放的装饰那样。当中只有少数处于青年风格主导地位的人发现了逃脱其纠缠的方法。这里特别要提到三位能够与代表德国与英国的麦金托什相媲美的重要艺术家。

奥古斯特·恩德尔[August Endell，1871—1925]最受欢迎的作品是在1897至1898年间为一位摄影家建于慕尼黑的埃尔韦拉工作室[Elvira Studio]（见对页插图）。他故意对开孔与墙面之间或地下室窗户与首层窗户之间，以及分隔窗玻璃的卷曲金属条不做平衡上的考虑，做法类似于巴黎的吉玛德、巴塞罗那的高迪、格拉斯哥的麦金托什。然而，在建筑立面上那个突出的装饰母题，其强大的造型特征，既像贝壳又像飞龙，整个覆盖于二楼的墙面上，具有十足的原创性。在这个具有狂放感情的装饰中，再现了德国在移民时期充满无限热情的装饰纹样。这种德国艺术的永恒品质，可以溯源至晚期罗马风格以及晚期哥特式，也可以追溯至巴洛克与罗可可风格，在恩德尔的建筑设计中都得到了体现；尽管看起来奥布里斯特的刺绣也非常可能为他提供了十分直接的灵感。即便如此，埃尔韦拉工作室仍然是一座绝妙的“精心之作”，并且是一座超越创造者期待的惊艳之作。

就在同一年，正当这座工作室建筑即将揭幕之前，恩德尔出版了一项有关建筑某些基本比例的情感意义研究，这项研究相当富有原创性与启发性。[11] 其文本对此处图示（见对页左下图）的描述是图4十分平衡，图2紧张，图3一定程度上轻松而舒适。除了将建筑视作一种抽象艺术来进行阐释的有趣尝试之外，图3所展现的立面形式惊人的类似于某些在第一次世界大战之后的德国房屋。房屋一楼的窗口造型以及平坦的屋顶会再次使人“误会其设计日期”。

类似的矛盾情绪同样出现在更年长的维也纳建筑师奥托·瓦格纳[Otto Wagner，1841—1918]的作品之中，也出现在其学生约瑟夫·马里亚·欧尔布里希[Josef Maria Olbrich，1867—1908]的作品上。瓦格纳的年纪更为接近诺曼·肖与麦基姆[Mckim]、米德[Mead]与怀特，而与赖特、贝瑞以及贾尼尔相距较远。他最初是新巴洛克的设计风格，后来就像诺曼·肖与麦基姆、米德与怀特那样，转向了新古典主义的设计风格。本书在第一章中引用的其十分著名的革命性就职演说便出自1894年。在此以后，当时他已超过50岁，也许是受到了学生的激发而彻底地改变了风格。这至少可以从其建筑的日期中推测得到。欧尔布里

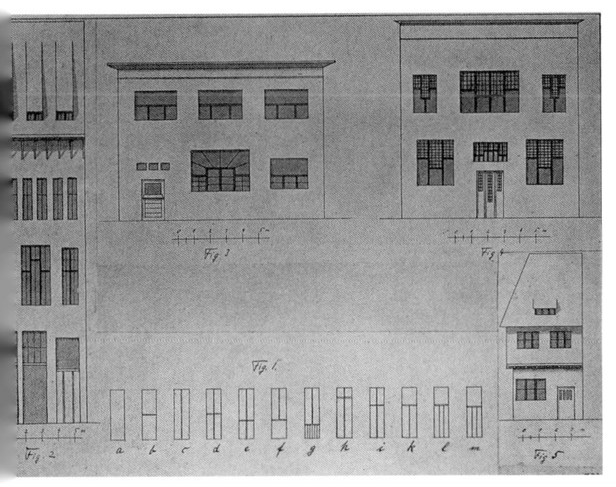

希[12] 是分离派的建立者，他与克里姆特以及其他艺术家组成的这个艺术家团体，创建并发展了奥地利的新艺术运动，并且在后来引领着更具建筑风格的线条装饰向类似于维也纳手工工场的优美风格发展。[13] 分离派的建筑（见右上图）设计建造于1898至1899年间。对于这种带有繁密花卉装饰的金属罩顶的青年风格特征在此无须多言。这里的关键之处在于其半圆形轮廓的简约性以及影响正面三层构造的韵律感。事实上，这种新颖感与赖特同时期的作品中所看到的各方面十分相像。[14] 在1907至1908年间，欧尔布里希建造了婚礼塔[Hochzeitsturm]（见第154页插图）作为黑森大公[Grand Duke of Hessen]创立于1899年的艺术家团体中心。再将其与麦金托什设计的格拉斯哥艺术学院图书馆的翼部相对照似乎也是合理的。突出的五个风琴管造型处于塔楼的顶部，标志着试图冲破新艺术运动的浮躁特征，但又感到无法完全撇除其影响。以今天的观点看来，最为显著的特征是那两条带卷角小窗户的狭窄水平带，这可能是类似装饰母题的最早案例，非常受

右上图
欧尔布里希：分离派大楼，维也纳，1898至1899年。

左上图
恩德尔：埃尔韦拉工作室，慕尼黑，1897至1898年。

左下图
恩德尔：建筑基本比例研究，1896年。

后来的设计师们的喜爱。

在回顾20世纪之初领导维也纳建筑的设计师作品时，我们又被带进一个新的境界。于1903至1904年间建造的普科斯多夫建造疗养院[Convalescent Home in Purkersdorf]是约瑟夫·霍夫曼（1870—1955）[15] 早期最为著名的作品，也是最为“现代”的作品。这里也许再次会让专家们误会，这种平坦的屋顶，没有装饰线的窗户，覆盖于入口处的方形雨篷以及高挑而直立的楼梯间窗口，似乎都不可能会在第一次世界大战之前出现。这些具有国际性的装饰母题，其本土特色完全清晰地显露于小型窗玻璃的韵律感以及围绕着窗户的纤细边饰当中。约瑟夫·霍夫曼最为“重要的作品”[*magnum opus*]，毫无疑问是设计于1905年、位于布鲁塞尔的斯托克雷特宫[Palais Stoclet]（见对页插图）。这座建筑巨大的体积与华丽的外形使得霍夫曼的其他作品黯然失色。斯托克雷特宫是一座具有极度精神性结构的作品，微妙的开间设计以及轻盈的墙体相当悦目，加上楼梯间高耸的高窗又再次出现；但此处的艺术状态是远离实用[*sachlich*]的（如此说来无疑是正确的）：一种迷人的乐趣在装饰立面中被呈现出来，虽然它们本质上具有奥

欧尔布里希：婚礼塔，达姆斯塔特，1907至1908年。

地利特色，但与新风格中最杰出的建筑设计并不协调。在承认这种风格具有国际性的同时，亦不应忘记霍夫曼设计中的优美，贝瑞的清晰，赖特的广阔、舒适以及稳固，或者格罗皮乌斯的坚定直率，都各自尽力表达其民族性格。

而且，艺术史学家既需要看到个人特色又需要看到其民族特征。只有将它们相互交融才能形成一个时代完整的艺术图景，正如我们所看到的一样。鲁本斯、贝尔尼尼、伦勃朗、维米尔都代表着他们所身处的巴洛克时代。鲁本斯完全是个弗兰芒人，正如贝尔尼尼是个完完全全的那不勒斯人，伦勃朗与维米尔是荷兰人。但在小范围内比较他们的民族艺术轨迹时，伦勃朗与维米尔在个性方面又完全不同。因此，将霍夫曼的迷人建筑与阿道夫·卢斯（1870—1933）[16] 的作品进行比较是有益的，他们的个性完全不同，尽管卢斯也是奥地利人。他于1900年前后在美学理论发展上的地位前面已经有所描述。现在我们需要确认他在建筑史上本来的位置。回想他对装饰艺术的抨击以及他对管道工人的赞美，我们并不奇怪他的第一件作品，即1898年建造于维也纳的一间商店的室内设计（见下图），严格地说，当中没有任何东西可称之为装饰。这件作品的价值完全建立在高级材

霍夫曼：斯托克雷特宫，布鲁塞尔，1905年。

料的运用上，以及比例的高贵端庄方面。上面的饰带装饰效果来自于当中突出的曲线以及垂直与水平线相互交叉所增加的韵律感。贝瑞的混凝土装饰，在对卢斯的风格毫无所知的情况下被创造出来，二者却在特征上惊人地相似。

六年后，卢斯在日内瓦湖建造的房子同样在外部设计上达到了具有优美比例的简约效果，又过了六年之后，他在维也纳建造的斯坦纳住宅[Steiner House]自如的把握到了1930年的风格。凹入的中部与突出的翼部形成强烈的对比，屋顶连成一片，阁楼上的小窗户，装有大块玻璃的卧窗：在没有被告知的情况下，谁不会误会这些建筑特征的设计时期呢？[17] 尽管有着如此个性化的设计，卢斯所产生的影响仍然在很长时间里被忽视了，而所有其他先驱者都越来越广为人知并且受到时人的追捧。

奥托·瓦格纳虽然已年过六旬，仍然受年轻学生及他的追随者所激励，这可以从他设计的维也纳邮政储蓄银行办公楼中看到（见第164页右下插图），这座建筑是他最令人惊叹的作品。回到1905年，这座建筑中干脆利落的玻璃大厅率先全面实现其早在十年前的设计理念。从历史的角度来看，它一方面摆脱了那个时代主要灵感来源的约束，另一方面又远离了新艺术运动时期所有的建筑设计，诸如奥地利的霍夫曼与卢斯、美国的赖特以及法国的贾尼尔与贝瑞的设计。

在此期间，德国最为重要的建筑师是彼得·贝伦斯（1868—1940）。[18] 处

卢斯：商店室内，维也纳，1898年。

贝伦斯：建筑师住宅，达姆斯塔特，1901年。

于1900年前后的特殊环境里，在受训成为一位建筑师之前他是一位画家，并在“道德精神”的革新引领下迈向应用艺术。当贝伦斯开始投身应用艺术时，指的就是新艺术运动。但他很快便摆脱了这种萎靡风格。他的第一件建筑设计作品是其位于达姆斯塔特的住宅（见上图），当中显露出新艺术运动中纤巧的曲线已渐渐变得稳重起来。[19] 就在同一年，贝伦斯设计了一款字体，已经变得焕然一新。弧线被拉直了，带有装饰性的首字母变成仅以方形和圆形来装饰。将贝伦斯设计的首款字体与埃克曼（1900）的字体相互对照便可见在其变化发展过程中所受到的影响。[20] 需要再次指出的是，这种简约风格的形成与英国的影响有关。多弗斯出版社在20世纪之初便开创了德国印刷业的先河。真诚与稳健成为新的目标，以取代新艺术运动美学的狂热梦想。

不仅贝伦斯对新艺术运动产生反感，这在德国最早见之于诗人兼装饰艺术家R. A. 施拉德尔[R. A. Schröder，1878—1962]所设计的一座公寓，而且他是因塞尔出版社[Insel Verlag]的创办者之一，这所公寓是他为堂兄阿尔弗雷德・沃尔特・凡・海默尔[Alfred Walter von Heymel，1878—1914]设计的，他也是因塞尔出版社的创办者之一。这所位于柏林的公寓建造自1899年。[21] 这是第一次——也许带有来自于麦金托什家具中朴拙坚实的灵感——椅子不再带有弧线，而且墙面、天花板以及壁炉皆被简化为简约的几何图案。

贝伦斯在1904年开始设计的建筑走向了相同的、某程度上还有点古典主义精神的外部设计的创新上。例如1905年他在奥尔登堡建造的、供展览使用的艺术大楼，可以与欧尔布里希的分离派设计做一比照。在贝伦斯的设计里，华丽的顶盖与纤巧的檐口消失不见了。正中央的部分以及外亭具有锥形的顶部——这一设计手法来自1907至1908年间欧尔布里希建造于达姆斯塔特的展览大楼设计（见第154页）——建筑的其他部分则有着平坦的房顶。墙上没有窗户，装饰着以精美的线条组成的椭圆与方形饰面。门廊上什么也没有，只有两根方形的柱子楣梁。[22]

这暗示了接下来的时间里贝伦斯的发展方向。他在战前主要为德国通用电气公司[A. E. G.]做设计，这是德国最大的电力联合公司之一，该公司的经理P. 乔敦[P. Jordan]聘用他担任建筑师及顾问。1909年设计的涡轮机工厂也许是当时建造得最为漂亮的工业建筑（见下图）。钢铁框架被清晰地展现出来；宽敞且有序地分隔开来的玻璃面板替代了两边的墙面以及底墙的中央部分；而且在各个角落转角的地方仍旧砌以厚实的石头，在这些石墩之上的金属框架突出其醒目的拐角从而显得更加粗犷而实在。这种设计与当时普通的工厂完全不同，甚至超过当时美国的阿尔伯特·卡恩[Albert Kahn]那些展露钢铁框架的最具功能化的设计作品。这率先呈现出塑造工业建筑面貌的可能性。这是一件纯粹的建筑作品，如此精致地平衡了难以感知的巨大体量，若不以路上行人作为其参照的话则难以感受其体量。左边两层的过道有着平坦的顶部以及一排窗户，这些我们都可以从当时最为进步的作品里看见。

贝伦斯1911年建造了小型电机生产车间。这座建筑左面的立面比例，以及没有任何装饰线的非常窄长的窗户，与霍夫曼或卢斯设计中所偏爱的比例关系不

贝伦斯：涡轮机工厂，胡特恩斯特拉斯，柏林，1909年。

同，令人想到了他在1909年的车间设计，以及会让人想到申克尔的设计。带有圆柱及凹窗的建筑主体同样表现出有力而庄重的气势。

而且，在贝伦斯负责这些艰巨任务的同时，他还倾注了大量关怀与心思在日常生活中的小产品设计以及那些从未被视作艺术的、实用的大型产品的提升上。例如1910年推出的一款很好的茶壶（见右上图），又例如1907至1908年间推出的街灯（见右下图）。它们展现出相同的形式上的纯粹性，通过简单的几何形式设计表现出类似的节制效果，与贝伦斯在其建筑设计中悦目的比例美如出一辙。

德意志制造联盟认同贝伦斯的设计态度是必然的结果。前面已经提及德意志制造联盟成立于1907年。贝伦斯也是在同一年成为德国通用电气公司的设计顾问。前面也述及在此前一年，德意志工场在德累斯顿举办了一个展览以展示其由机器所生产的第一批家具。到1912年，德意志制造联盟出版了第一本年鉴，他们展示了其认可的工业设计与建筑设计风格的上百张作品插图。德意志工场与德国通用电气公司与李默斯密特，以及约瑟夫·霍夫曼，还有格罗皮乌斯的作品都出现在这本年鉴中。但在讨论到格罗皮乌斯的设计作品之前，还必须对早期的几座德国建筑以及其他两三位设计师稍作介绍：生于1886年的路德维希·密斯·范·德·罗[Ludwig Mies van der Rohe]，[23] 以及生于1896年的汉斯·珀尔齐希[Hans Poelzig]（于1948年逝世），还有生于1870年的马克斯·伯格[Max Berg，1870—1947]。1910至1912年间，马克斯·伯格在布雷斯劳建造的百年纪念堂[Jahrhunderthalle]采用贝伦斯的钢铁框架代替加固混凝土，他创造了一座崇高的纪念碑并毫不掩饰其大胆的结构。百年纪念堂占地接近2.1万平方英尺，其顶部重达4200吨，与罗马的圣彼得大教堂相比，后者占地5250平方英尺而穹顶则需要大约1万吨重的材料来建造。此外，其支撑部分有着优美的跨度与曲率，预示了第二次世界大战后皮埃尔·路易吉·奈尔维[Pier Luigi Nervi]所取得的成就。

在20世纪的风格当中，密斯·范·德·罗与珀尔齐希代表着两种相反的自我表达模式。密斯·范·德·罗在1912年为克勒勒·米勒[Mrs. Kröller-Müller]设计的住宅明显可溯源至贝伦斯，或许还可以看到来自申克尔的影响。在这部分及此前已屡次提到的申克尔，此时才刚被重新发掘并再次受到青睐。[24] 密斯从申克尔那里学到了简朴而又别致的风格，从他与贝伦斯那里获得立体关系的空间艺术感。[25]

即便密斯的克勒勒住宅还是个设计草图，却有着一种恒久性并且具有一种令人信服的纪念性，这让1911年珀尔齐希在布雷斯劳建造的办公大楼（见下图）极具冲击力地进入我们的视线。这些绕着转角的弧形腰带十分有力量，虽然有着笨拙的细节，但非常有个性。1911年珀尔齐希还设计了另一座重要的建筑，一座

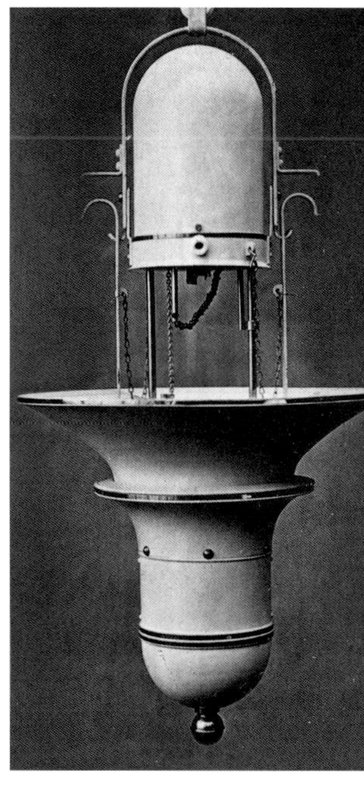

顶图
贝伦斯：为德国通用电气公司设计的街灯，1907年至1908年。

上图
贝伦斯：为德国通用电气公司设计的电水壶，1910年。

位于西里西亚的化学工厂。这个设计更优雅精致，其半圆形以及特殊的矩形小窗之间的对比再次将其个性推向了极致。

这些建筑设计中的创造性与想象力，使得珀尔齐希在第一次世界大战后的最初几年里成为德国表现主义建筑设计的领袖。这种狂放的风格同时在绘画、雕塑还有建筑设计方面都达到其顶峰。1919年起，他设计了德意志大剧院[Grosses Schauspielhaus]。就在同一年，埃里克·孟德尔松[Erich Mendelsohn，1887—1953]采用了卷曲的立面以及窗户转角饰带的装饰母题，并且将它们变成表现主义的有效工具。这种装饰母题在其1921年设计的爱因斯坦天文台[Einstein Tower]（见第165页插图）中居于主导地位，而且做了更为理性的处理，并且延续至其后来的商店设计。这在第一次与第二次世界大战之间成为最受欢迎的装饰母题之一，这个装饰母题在功能上不太合理，但由于人们的情感作用，流线型随后出现在电冰箱、婴儿车以及许多其他工业化产品上。

要对20世纪做出全面的表达，建筑设计的现代运动需要两个特质，对科学技术以及社会科学与理性规划的信念，以及对机器速度与轰鸣声的浪漫信念。我们已经在第一章谈到穆特修斯、德意志制造联盟以及后来格罗皮乌斯的包豪斯对第一种价值观的确定，而另外的则是由意大利未来主义者以及圣伊利亚所引领，这位建筑师不仅是意大利建筑师的代表，而且是意大利建筑师中的先驱。在建筑设计里也是如此。圣伊利亚的设计草图与格罗皮乌斯早期的建筑设计代表着对20世纪的新型都市与技术文明的两种阐释。历史在两者之间必须要做一选择，正当第一次世界大战结束之时，又再次面临这样的抉择。

圣伊利亚设计草图中的建筑结构令人印象非常深刻，这些草图的日期不是那么确定，但一定是在1912至1914年间或1913至1914年之间（见对页插图）。草图中的这些工厂、电站、火车站、高楼大厦沿着两层或多层的道路两旁分布。建筑师的用笔，那些陡直的或紧密联系在一起的弧形塔面，具有高度的原创性与创新性，传递出对大城市及机械化的交通的兴奋之情。其设计形式的源泉无疑就是维也纳分离派；在现实中就只有珀尔齐希在1911年设计的办公大楼以及孟德尔松于同年所设计的草图能与之相提并论。圣伊利亚与孟德尔松之间似乎有着某种联系。

珀尔齐希：办公大楼，布雷斯劳，1911年。

圣伊利亚去世时还不到30岁，他要如何将这些草图付诸实际我们不得而知。从他的同事并且同样具有未来主义信念的意大利建筑师马里奥·基亚托尼[Mario Chiattone]（逝世于1957年）稍晚几年的建筑中也未能找到任何线索。[26] 约在1914年，基亚托尼的设计也像圣伊利亚那样对20世纪的建筑做出了惊人的预见，而且其设计也没有那么乌托邦。圣伊利亚在他的设计草图中显示其对规划及建筑的准确功能并不感兴趣。他们完全是表现主义的。他对大城市的热情相较于高蒂

尔对金属结构的建筑或特纳对蒸汽与速度的热情一样真诚。从圣伊利亚开始，20世纪的建筑设计再次走向了表现主义，其中也包括勒·柯布西耶为300万人所设计的首座理想城市（1922）。

而最伟大的贡献并不是源自于圣伊利亚，也不是珀尔齐希与孟德尔松，而是贝伦斯及其伟大的学生沃尔特·格罗皮乌斯（生于1883年）。1911年，他离开贝伦斯的工作室后便被委托建造一座位于莱纳河畔阿尔菲尔德的法古斯工厂[Fagus-Fabrik]（见第162页插图）。他的设计甚至超越了其老师贝伦斯为德国通用电气公司所做的设计。只有在一些细节上，诸如位于建筑主体部分右边的窗户，显示出了贝伦斯的影响。就建筑的主体部分看来，每样东西都是新颖并充斥着令人激动的灵感。这是第一次整个建筑立面都由玻璃覆盖。用于支撑的柱子缩小为狭窄的钢带，转角的地方没有任何支撑，这种处理手法自此以后便被反复模仿。对平坦屋顶的表现手法也做了改变。只有在卢斯早于法古斯工厂建成之前一年所建造的建筑上，我们可以看到对纯粹立体感的追求。格罗皮乌斯建筑设计的另一个极其重要的品质就是以巨大而明净的玻璃打破了室内与室外原本严密的分界。光线与空气可以自由地穿过玻璃墙让本来密闭的空间不再完全与户外的大自然隔绝。这就是建筑的“虚化”[etherealization]效果，正如弗兰克·劳埃德·赖特在1901年所称的那样，这是新风格中最具代表性的特征之一。[27] 我们从19世纪后期办公大楼的一般平面图中看到它的发展，这些用以承重的钢梁可使

上图
圣伊利亚：设计草图，1913至1914年。

顶图
密斯·范·德·罗：为克勒勒·米勒设计的作品，1912年。

上图
格罗皮乌斯与迈耶：法古斯工厂，莱纳河畔阿尔菲尔德，1911年。

右上图
格罗皮乌斯：模型工厂，德意志制造联盟展览，科隆，1914年。北面。

各个墙体容易移动，后来又从赖特的私人住宅设计图以及贝瑞在1903年设计的住宅房间，还有麦金托什设计的迷人的景观中看到；而且我们还可以看到在第一次世界大战后德国规划领域中与“虚化效果”相类似的设计很快从城镇扩展到全省（鲁尔区规划[*Landesplanung*，Ruhr District]，1920年）。这里同样也要征服空间，跨越巨大的距离，理性地协调建筑师所关心的各种功能。这种对具有20世纪建筑风格特征的规划的全情投入与西方建筑总是关注空间的征服明显存在着深厚的关系。新的风格在格罗皮乌斯的设计形式中向前推进，正如从罗马风格与哥特式到布鲁内莱斯基与阿尔贝蒂的文艺复兴，再发展为博罗米尼[Borromini]与诺依曼[Neumann]的巴洛克。那时手工艺中的温暖与直率以及过去那种在建筑师与赞助人之间更为私人化的关系可能永远地消逝了。代表着我们这个时代的建筑师必须要更冷静，冷静地保持对机器产品的掌控，冷静地为广大客户提供满意的设计。

虽然如此，天才们仍将找到属于他们的道路，即使屡屡无法阻挡集体主义的力量，即使仍处于这种20世纪新风格的发展过程当中，因为这是一种具有普遍性的真正反抗那种正在过去的时尚的风格。格罗皮乌斯为德意志制造联盟在1914年举办的展览设计建造了一座小型模型工厂。建筑的北立面是对他的导师在五年前所设计的涡轮机工厂的诠释（见右上图）。他专门将装饰母题削减至最少并且对外轮廓做了彻底简化。他用单薄的金属线条取代贝伦斯厚重的角柱石，令人印象特别深刻。建筑南立面的设计更为大胆（见第168页插图），在那种明显的赖特式的砖石主体与完全玻璃化的转角之间形成极好的对比。在中间部分只有一排排非常窄长的窗户以及十分低矮的入口；在转角处，依照过去的标准，应该展现出自身具有足够承受力的样子，但此处就只有由玻璃覆盖着的两座通透的旋转楼梯。

自此，这种类似于法古斯工厂的无梁转角设计经常被模仿，而且展现出格罗皮乌斯极为优美的设计特色。这种对材料与重量游刃有余的把控表现出了一些庄严感。这并不是因为圣礼拜堂[Sainte-Chapelle]与博韦的唱经楼[choir of Beauvais]已经让人类建筑艺术战胜了物质。那些新建筑的特征完全是非哥特式的、反哥特式的。在13世纪时，所有的线条除了其自身功能外服务于一个艺术化的目标，目的是指向超越这个世界的天国。而且墙壁用彩色玻璃处理成半透明，以表现圣像超凡的奇异力量，现在的玻璃墙壁却是清澈且毫无神秘感，配上坚实的钢铁骨架，其表现完全打断了对其他世界的沉思。这个供我们生活与工作并要我们掌握的世界，这个注重科学技术、追求速度、勇于冒险、艰苦奋斗又不予个人安危为先的世界，就是这个世界的创造力量在格罗皮乌斯的建筑中得到赞扬，并且只要这个世界存在着这些理想与问题，格罗皮乌斯以及其他先驱者的风格将会发挥其作用。

第一次世界大战告一段落后的40年见证了这一设计运动的胜利。表现主义只是一段短暂的插曲，在格罗皮乌斯时代早期之后，在成熟时期的格罗皮乌斯在德绍的包豪斯建筑之前，也早于成熟时期的勒·柯布西耶在20世纪中期的别墅建筑与成熟时期的密斯·范·德·罗在巴塞罗那的德国展馆建筑。现在我们正处于第二段的这一插曲当中，正由勒·柯布西耶（以其建筑设计，如为朗香教堂设计的礼拜堂）与巴西的设计师所统领。例如高迪处于沙利文与贝伦斯、卢斯以及其他1900年以后的设计师之间，就像表现主义处于法古斯与包豪斯的建筑设计之间，因而稍晚的勒·柯布西耶与巴西设计师在结构上的技巧以及所有模仿他们或者受此启发的人都试图满足建筑师对个性表达的渴望，同时满足公众对惊喜与梦幻的渴求，并逃离现实走进那个神奇的世界。无论建筑师还是雇主都必须知道今天的现实，实际上与1914年的时候一样，只有在那些迄今所知的以往的大师们所创造的风格当中寻觅得到。社会至今没有什么改变，工业化的扩张、对客户的忽视仍在继续，对建筑设计的陌生仍在持续。个别建筑师的奇思妙想、部分天才的尝试并不能作为建筑师必须回应的各种严肃问题的答案。这个回答是否应该与1914年的先驱者们有所不同，并且以何种方式来区分不同，尚不是本书所能决定的。

维也纳分离派与维也纳手工工场

维也纳分离派肇始于19世纪的最后十年，对于20世纪初期的欧洲艺术有着巨大的影响。分离派艺术家们激发了作为创造中心的工作坊的成长，扩展了各种材料以及表现技术的范围。慕尼黑与柏林开始出现各种团体，但最为著名的仍是由古斯塔夫·克里姆特、科罗莫·莫瑟[Kolomon Moser]以及建筑师约瑟夫·马里亚·欧尔布里希、约瑟夫·霍夫曼建立于1897年的维也纳分离派，后来又由奥托·瓦格纳在维也纳进行了大量的改造。深受莫里斯、罗斯金以及雷尼·麦金托什的影响，霍夫曼在1902年探访C. R. 阿什比的奇平·卡姆登[Chipping Campden]社区，并在返回奥地利后建立了维也纳手工工场，模仿手工艺行会的目的旨在创造“处于艺术与手工艺的欢乐哼鸣之中……一个我们自己国家的宁静之岛”。他希望艺术与建筑被用来服务社会以营造更高尚的社会环境。维也纳手工工场的工作坊雇用了上百位工匠，并且生产各种各样美化室内之物，从金属器、陶瓷器、玻璃器、书籍装帧、墙纸、纺织品到珐琅器，使得那些主要来自格拉斯哥四人组所设计的雅致家具更为优美。

左下图
克里姆特：《悲剧》，1897年。

右下图
瓦格纳：邮政储蓄银行，维也纳，1905年。

表现主义

从19至20世纪之交至第一次世界大战之前，许多先锋艺术运动对建筑设计产生了影响，当中包括立体主义与表现主义，佩夫斯纳称之为“狂放的风格”。在后来主要的支持者当中就有珀尔齐希，他也许是表现主义艺术形式中最具想象力的创造者，创造了笋状或管状的表现形式；埃里克·孟德尔松，为坐落于柏林附近的爱因斯坦天文台创造出一流的流线型设计（见下图，1921年）；还有圣伊利亚，这位意大利未来主义建筑师，他年仅29岁便在大战期间死去，当时他还未有机会将其建筑设计付诸实践，尽管佩夫斯纳发现他的设计草图“令人印象极为深刻”。他们呈现出未来大都市工业化与商业化的景象，那里的工厂建筑有着明显的曲面，不同高度的摩天大楼在交通道路间拔地而起。勒·柯布西耶是独一无二的，使佩夫斯纳将其杰出的才华及其在形式创造方面与毕加索相提并论。他是20世纪最具影响力的建筑师之一，对战争的残忍、混乱与无理做出回应，指向了秩序、简朴与明净。其白色的、立体的新型私人住宅建筑反映出他对艺术在严谨、精确以及非个人化需求上的信念。无论如何，他因“居住机器”项目而声名鹊起——当中高耸的公寓楼，配备各种基础设施与服务，四周空间开阔，这在其设计的、酷似雕塑的马赛联合公寓[Unité d' Habitation at Marseilles]（1947—1952）中有着极佳的体现。

左下图
勒·柯布西耶：朗香教堂，法国朗香，1950至1954年。

右下图
孟德尔松：爱因斯坦天文台，波茨坦，1919至1921年。

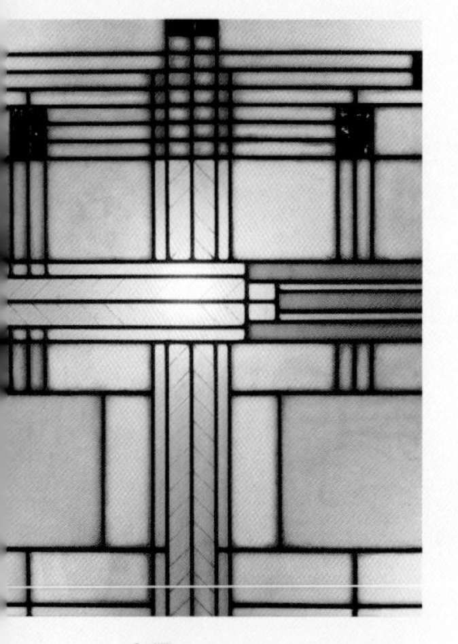

上图
赖特：威利茨住宅餐厅顶灯彩色玻璃，1901年。

对页
赖特：古根海姆博物馆，纽约，1956至1959年。室内。

下图
赖特：摩尔-杜加尔住宅，1895年。

弗兰克·劳埃德·赖特

佩夫斯纳认为弗兰克·劳埃德·赖特的职业生涯兴起于1914年，他十分关注赖特富有开创性的作品，认为那是“20世纪特有的节奏”，并展现出他在设计上的勇气。作为沙利文的学生，赖特证明了田园学派建筑的优点——低调、舒展，室内空间之间可以互相连通，台阶连接着花园，并且屋顶向外延伸——尽管到1914年，他的理念已经成熟并且迈向其“美国风格”，这个名词曾被他用来描述那些特别适合于美式生活的建筑。在其他论述中，佩夫斯纳曾称赖特是“迄今最为伟大的美国建筑师”，并且是“一位纯形式的诗人”。赖特的漫长生涯跨越两个世纪共70多年，在这个过程中他接受了上千项的设计委托，过半得以执行，许多建筑屹立至今。他多产、前卫，并将其从自然中汲取灵感所设计的建筑物称之为“有机建筑”，采用自由的平面，灵活的层面设计以及富有韵律的曲线。赖特相信“水平线是家居生活线”，并且通过打破“盒子”的形式而让住宅“由内在走向自然”，从而革新了独户住宅设计，创造出了自由沟通的空间。他的设计哲学对格罗皮乌斯以及欧洲的建筑设计，尤其是荷兰风格派的设计师们产生了深刻的影响。

沃尔特·格罗皮乌斯与现代运动

德国的建筑师沃尔特·格罗皮乌斯曾随彼特·贝伦斯学习，并且成为包豪斯的引领者，这是继艺术与手工艺运动之后最为重要的设计流派之一。在1919年4月创办于魏玛的包豪斯成了现代运动与功能主义设计标准的典范——在本质上更为现代，更为接受机器生产，并且在革命信念上更为坚定，坚信好的设计要服务于普罗大众与制作它们的人。包豪斯初期强调行会的组织形式以及与C. R. 阿什比在缔造工匠团体的经验上类似的理想。佩夫斯纳称包豪斯是“一个制作手工艺与标准化器物的实验室”，他似乎是在赞扬这是“可贵的”共同体精神而且通过这种组织可以让建筑师、大师工匠以及抽象画家们为了建筑的新精神而相互合作。其教学标准很高，学生要学习色彩与形式理论，包括形式心理学，并鼓励他们投身于探索其发展前沿。令人印象深刻的特质是包豪斯的教师们——保罗·克里、瓦西里·康定斯基、奥斯卡·施莱默[Oskar Schlemmer]以及斯诺·莫霍里-纳吉[Lázló Moholy-Nagy]——促成了包豪斯的个性与成就。1925年，包豪斯搬进了一座位于德绍的、由格罗皮乌斯特别设计的大楼。密斯·范·德·罗在1928年接任成为包豪斯的负责人，但该校曾作为“布尔什维克的温床”，在5年后被希特勒的国家社会主义政府取缔。

上图
格罗皮乌斯与迈耶：模型工厂，科隆，1914年。南面。

对页
包豪斯：德国学校，1925年。

下图
包豪斯：导师住宅，德绍，1926至1927年。

注 释

第一章

1 Ruskin, John. *Architecture and Painting.* Addenda to Lectures I and II, Library Edition, xii, 1904, p.83. Ruskin, John. *The Seven Lamps of Architecture*, New York, 1849, p.7. Scott, Sir George Gillbert. *Remarks on Secular and Domestic Architecture* London, 1858, p.221.
2 Scott, Sir George Gilbert. *Personal and Professional Recollections*, London, 1879, pp.117ff.
3 参照Mackail, J. W. *The Life of William Morris*, London, 1899. 重新发行于World's Classics, O. U. P., 1950. 梅·莫理斯[May Morris]编辑并于1910—1915年出版了莫里斯《作品集》[*Collected Works*]并被编入到两卷本的传记内：May Morris. *William Morris, Artist, Writer, Socialist*, 1936. 梅·莫理斯的书信整理见：P. Henderson. Morris's letters, London, 1950. 他在前言里引用了更多的文献。近来有关莫里斯的作品剧增，这可归因于在伦敦成立的威廉·莫里斯协会[William Morris Society]。
4 Mackail, 同前引, ii, p.80.
5 *The Collected Works of William Morris*, London, 1915, xxiii, p.147.
6 同上, 1914, xxii, p.26.
7 Mackail, 同前引, ii, p.99.
8 *Coll. Works*, xxii, p.42; xxiii, p.173.
9 同上, xxii, pp.47, 50, 58, 73, 80, etc.
10 Mackail, 同前引, i, p.186.
11 *Coll. Works*, xxii, p.47.
12 Mackail, 同前引, ii, p.106.
13 *Coll. Works*, xxiii, pp.194, 201.
14 Mackail, 同前引, ii, p.105.
15 同上, p.144; i, p.305.
16 *Coll. Works*, xxii, p.75.
17 Lethaby, W. R. *Philip Webb and His Works*, Oxford, 1935, p.94. 最早注意到这一矛盾的是莫里斯在法国的追随者亨利·卡扎利斯[Henri Cazalis]（1840—1909），他化名为让·拉霍尔[Jean Lahor]从事写作。参照Lahor, Jean. *W. Morris et le mouvement nouveau de l'art decoratif*, Geneva, 1897, pp.41—42. Walton, T. "A French disciple of William Morris 'Jean Lahor.'" *Revue de littérature comparée*, 1935, pp.524—535.
18 *Coll. Works*, xxii, pp.335—336.
19 同上, pp.352, 356; xxiii, p.179.
20 Arts and Crafts Exhibition Society. Catalogue of the first exhibition. London, 1888, p.7.
21 The National Association for the Advancement of Art and its Application to Industry. *Transactions, Liverpool Meeting, 1888*, London, 1888, p.216.
22 Crane, Walter. *The Claims of Decorative Art*, London, 1892, p.75.
23 Arts and Crafts Exhibition Society. Catalogue of the third exhibition. London, 1890, p.8.
24 Crane, 同前引, p.6.
25 同上, pp.76, 65.
26 参照Pevsner, Nikolaus. "William Morris, C. R. Ashbee und das zwanzigste Jahrhundert." *Deutsche Vierteljahrsschrift für Literaturwissenschaft und Geistesgeschichte*, xiv, 1936, pp.536ff., 翻译版见：Manchester Review, vii, 1956, pp.437ff.
27 Ashbee, Charles R. *A Few Chapters on Workshop Reconstruction and Citizenship*, London, 1894, pp.16, 24.
28 作者同上，*An Endeavour towards the Teachings of J. Ruskin and W. Morris*, London, 1901, p.47.
29 作者同上，*Craftsmanship in Competitive Industry*, Campden, Glos., 1908, p.194.
30 作者同上，*Should We Stop Teaching Art*? London, 1911, p.4; *Where the Great City Stands*, London, 1917, p.3.
31 Day, Lewis F. *Everyday Art: Short Essays on the Arts Not-Fine*, London, 1882, pp.273—274.
32 Sedding, John D. *Art and Handicraft*, London, 1893, pp.128—129.
33 最重要的是莱瑟比[Lethaby]；他有关现代德国建筑与设计及工业的论述，出自于1915年："上溯至20年前，英国艺术在各个方面已经有着一个非常显著的发展……然后……出现了含蓄的反应以及重新崛起的类型'风格'……在英国艺术与手工艺的基础上……德国向前迈进。他们看到了我们讨论家具、玻璃、纺织、印刷以及其他……最重要文章中的精粹。" *Form in Civilization*, London, 1922, pp.46ff. 及96ff. 又见Ashbee, *Should We Stop Teaching Art*?, p.4, 谈及约自1900年以来英国的艺术运动"已滞止，而其原理现在则在德国与美国获得了持续的、理性的研究"。
34 Wilde, Oscar. *Essays and Lectures*, London, 4th ed., 1913, p.178.
35 Wagner, Otto. *Moderne Architektur*, Vienna, 1896, p.95.
36 Loos, Adolf. *Ins Leere gesprochen*, 1897—1900, Innsbruck, 1932, p.18.
37 Van de Velde, Henri. *Die Renaissance im modern en Kunstgewerbe*, Berlin, 1901, p.23.
38 Sullivan, Louis. *Kindergarten Chats*, New York, 1947. 最初连载于*Interstate Architect and Builder*, 8 February 1901 to 16 February 1902.
39 同上, p.187.
40 同前引, p.2.
41 viii, 1898—1899.
42 当中相关的评论使我注意到了这篇文章Carroll L. V. Meeks, *The Architectural Development of the American Railroad Station*, Dissertation, Harvard University, 1948, 改编并以*The Railroad Station*, 名称出版，Yale University Press and London, 1956. 斯特奇斯[Sturgis]的文章可能是亨利·詹姆斯[Henry James]将其"绝佳之所"[Great Good Place]描述成"一个经过简化的方正平整的房屋"。《绝佳之所》于1900发表（见*Novels and Stories*, new and complete edition, xxi, 1922, p.221）.
43 Arts and Crafts Exhibition Society. Catalogue of the second exhibition. London, 1889, p.7.

44 *Studio*, i, p.234.

45 其最初的演讲可追溯至由年轻的比利时艺术家组成的冒险俱乐部，最早起源于所谓“二十人”[Les Vingt]团体，以及始自1894年的“自由美学”[La Libre Esthétique]。参照Madeleine Octave Maus, *Trente années de lutte pour l'art*, 1884—1914, Brussels, 1926. 范·德·威尔德的演讲被汇集成两本书: *Kunstgewerbliche Laienpredigten*, Leipzig, 1902, 以及*Die Renaissance im modernen Kunstgewerbe*, Leipzig, 1903. Maus,同前引, p.183, 给出首场演讲的日期为1894年，范·德·威尔德在1890年的日期似乎更加不可能，因为从范·德·威尔德的传记中我们知道他曾在1889年患上精神失常，直到1893年才真正康复（Osthaus, Karl Ernst. *Van de Velde*, Hagen, 1920, p.10）. 此外，他承认在1891年以前他与朋友们对英国的艺术与手工艺一无所知（*Die Renaissance* ..., p.61）. 早在1901年批评家便抱怨范·德·威尔德的历史描述不准确（*Dekorative Kunst*, vii, 1900—1901, p.376）。在1957年范·德·威尔德逝世之前的15年，他已写作其自传数年了。涉及这个关键年月的部分，在其去世前出版于*Architectural Review*, cxii, 1952, pp.143ff. 但年表也有点模糊。范·德·威尔德自己写道：“我将这个问题留给其他研究者来判断它们各自的日期。”现在可以认定的是发表于《新社会》[*La Société nouvelle*]上名为《消除艺术》[*Déblaiement d'art*]的重要演讲，以及范·德·威尔德在1893年关于现代工业艺术的几个演讲（letter of 23 June 1952, from M. Schiltz, the administrator of the academy）.

46 Van de Velde, *Die Renaissance* ..., p.36.

47 作者同上 .... *Laienpredigten*, p.36.

48 作者同上，*Die Renaissance* ..., pp.30, 111—112.

49 作者同上 .... *Laicnpredigten*, p.172.

50 作者同上，*Die Renaissance* ..., pp.12, III.

51 同上, p.110. 这等同于德意志制造联盟所提出的工业艺术原则（见第7章）英国设计协会及建立于1915年的工业协会也曾提出过相似的原则：用途得宜，并且忠实于材料与制造过程。

52 作者同上 .... *Laienpredigten*, p.166. 这一说法多么醒目，假若由混凝土代替胶泥，由塑料代替赛璐珞[celluloid]。

53 作者同上，*Die Renaissance* ..., p.36.

54 同上, p.91.

55 Kulka, Heinrich. *Adolf Loos: das Werk des Architekten*, Vienna, 1931, p.II. 近来卡莎贝拉[Casabella]致力于卢斯资料的整理: No. 233, Nov. 1959.

56 Wagner, Otto. *Moderne Architektur*, Vienna, 1896. Lux, J. A. Otto Wagner, Munich, 1914.

57 Wagner, 同前引, p.8.

58 同上, p.37.

59 同上, p.41.

60 同上, p.37.

61 同上, p.99.

62 卢斯，同前引。他在1900年以后的写作出版名为*Trotzdem, 1900—1930*, Innsbruck, 1931.

63 作者同上，*Ins Leere gesprochen*, p.66. 卢斯在1908年写了一篇文章名为《装饰与罪恶》[*Ornament and Crime*]，重刊于*Trotzdem*, pp.79ff.

64 作者同上，*Ins Leere gesprochen*, p.49.

65 同上, p.58.

66 同上, p.78.

67 重印于Wright, Frank Lloyd. *Modern Architecture*, Princeton, 1931, pp.7ff.

68 同上, p.8.

69 同上, p.16.

70 同上, p.8.

71 同上, p.16.

72 同上, p.15.

73 同上, p.14.

74 同上, p.20.

75 出自首届国际建筑师人会[First International Congress of Architects]上的演说，引自Giedion, Sigfried, *Space, Time and Architects*, Cambridge, Mass., 1941, p.151.

76 Berlage, H. P. “Over Architectuur.” *Tweemaandelijk Tijdschrift*, ii, part I, 1896, pp.233—234. H·格尔森[H. Gerson]博士十分友好地为我查找到准确的贝拉赫文本。

77 Berlage, H. p. *Gedanken über Stil in der Baukunst*, Leipzig, 1905, p.48.

78 许多引述出自Schmalenbach, Fritz, *Jugendstil*, Würzburg, 1935,一本非常有用的书，当中详细描述了1895年至1902年间德国装饰艺术的历史。

79 Graul, Richard. *Die Krisis im Kunstgewerbe*, Leipzig, 1901, p.2.

80 Muthesius, Hermann. “Kunst und Maschine.” *Dekorative Kunst*, ix, 1901—1902, pp.141ff.

81 作者同上，*Stilarchitektur und Baukunst*, Mülheim-Ruhr, 1902, pp.50, 51, 53.

82 Lichtwark, Alfred. *Palastfenster und Flügeltür*, Berlin, 1899, pp.128, 144, 169. 作者同上，Makartbouquet und Blumenstrauss, Munich, 1894.

83 Obrist, Hermann. “Neue Moglichkeiten in der bildenden Kunst.” *Kunstwart*, xvi, part 2, 1903, p.21.

84 Schäfer,W. “Die neue Kunstgewerbeschule in Düsseldorf.” *Die Rheinlande*, 1903, pp.62—63.

85 Naumann, Friedrich. “Die Kunst im Zeitalter der Maschine.” *Kunstwart*, xvii, part 2, 1904, p.323.

86 见E. Pferffer-Belli in *Werk und Zeit*, vii, December 1959.

87 非常感谢德累斯顿的H. 瑞特格[H. Rettig]教授与慕尼黑的海因茨·蒂尔茨[Heinz Thiersc]先生使我注意到李默斯密特的重要性，这是我最初写这本书时尚未察觉到的。关于李默斯密特见Rettig, H., *Baumeister*, XLV, 1948, 和*Bauen und Wohnen*, III, 1948. 另外两位建筑师同样敏锐地较早便注意到机器制作的家具，阿德尔伯特·尼迈耶[Adelbert Niemeyer]与卡尔·伯奇[Karl Bertsch]，他们从慕尼黑制造联盟加入到德意志制造联盟。到1910年，贝利·斯科特、约瑟夫·霍夫曼、科罗莫·莫瑟以及其他一些人有时也为制造联盟服务。

88 参照Popp, J. Die *Deutschen Werkstätten*. 写作于1923年左右，我十分感激后来卡尔·施密特[Karl Schmidt]友好地让我看模型，并给予我一系列D. W. 家具照片。

89 " Der Bund will eine Auslese der besten in Kunst, Industrie, Hanwerk und Handel tätigen Kräfte vollziehen. Er will zusammenfassen, was in Qualitätsleistung und Streben in der gewerblichen Arbeit vorhanden ist. Er bildet den Sammelpunkt für alle, welche zur Qualitätsleistung befähigt und gewillt sind." On the history of the Werkbund cf. *Fünfzig Jahre Deutscher Werkbund*, Berlin, 1958; also Die Form, vii, 1932, pp.297—324.

90 同上, p.302.

91 同上, P.310.

92 *The Beginnings of a Journal of the D. I. A.*, 1916, p.6.

93 Pevsner, Nikolaus. *Academies of Art, Past and Present*, London（Cambridge U. P.）, 1940, pp.267, 281ff.

94 *Die Form*, loc. cit., pp.316, 317.

95 有关圣伊利亚的讨论近年出版了很多，迄今所见的优秀文本有: Sartoris, Alberto, *L'Architetto Antonio Sant'Elia*, Milan, 1930; Argan, G. C., " Il pensiero critico di Antonio Sant'Elia," *L Arte*, xxxiii, 1930;以及*Dopo Sant'Elia*, Milan, 1935. 近来的新进展见Banham, R., *Architectural Review*, cxvii, 1955, 他发现了大量至今未曾出版并被忽略的科莫画稿，紧接着还有Tentori, F., Mariani, L., *L'Architettura*, i, 1955—1956, pp. 206ff. 及704ff. 随后G. 伯纳斯科尼[G. Bernasconi]加入并率先出版了Sant'Elia's *Messaggio*（*Rivista Tecnica della Svizzera Ltaliana*, xliii, 1956, No. 7）. 其后有Banham, R., *Architectural Review*, cxix, 1956, p.343; Banham R., in *Journal of the R. Inst. of Brit. Architects*, 3rd series, lxiv, 1957; Zevi, B. in *L'Architettura*, ii, 1956—1957, pp.476ff.; 以及Mariani, L., 同上, iv, 1958—1959, p.841.

96 翻译出自Dr. R. P.Banham's *Theory and Design in the First Machine Age*, London, 1960, 我有幸能在出版前采用。

97 未曾出版。Letter of W. Gropius to the author, January 16, 1936.

98 Letter of W. Gropius to the author, January 16, 1936.

99 参照William Morris; " The synonym for applied art is architecture." National Association for the Advancement of Art and its Application to Industry. *Transactions, Edinburgh Meeting*, 1889, London, 1890, p.192.

100 Gropius, Walter. *The New Architecture and the Bauhaus*, New York（Museum of Modern Art）, 1936.

101 Gropius, Walter, et al. *Staatliches Bauhaus in Weimar*, 1919—1923. Weimar, n. d., p.8.

第二章

1 关于1851年的大展见Hobhouse, Co, *1851 and the Crystal Palace*, London, 1st ed., 1937; ffrench, Y., The Great Exhibition, London 1951; 本书所特别关注的问题参考Pevsner, N., High Victorian Design, London, 1951. 亦须注意到Catalogue of an Exhibition of Victorian and Edwardian Decorative Arts, London（Victoria & Albert Museum）, 1952, 彼得·弗勒德[Peter Floud]后来成为此事的主要负责人。

2 The Principal Speeches and Addresses of H.R.H. the Prince Consort, London, 1862, pp.110, 111.

3 The Great Exhibition of the Works of Industry of All Nations, 1851, London, 1851, introductory volume, p.1.

4 参照J. F. and Barbara Hammond, The Town Labourer, 1760—1832, the New Civilization, London, 1917, 他引用了上流阶层人士以实用主义哲学为武器袒护利欲熏心、寡廉鲜耻态度的一些经典说法："贸易、工业以及交易品总能找到其标准"（Pitt），"依照其兴趣的安排和物品的自然秩序，地主与农场主变成群众最好的受托者与保护者。"（Rep.H. Comm. Poor Laws, 1827）.

5 这个群体对设计改革的重要性最先见于Sigfried Giedion, *Mechanization Takes Command*, first edition 1948. 吉迪恩的书完成时，我也对其进行过研究，我的相关研究成果见以下两书: *Matthew Digby Wyatt*, London（Cambridge U. P.）, 1950（Inaugural Lecture, Cambridge, 1949）, *High Victorian Design*, 见前引。此后对于这个群体更为细致的追踪可参看A. Bøe, *From Gothic Revival to Functional Form*, Oslo, 1957（B. Litt. Thesis, Oxford, 1954）.

6 详细见我所著High Victorian Design, pp.146ff. 此处相关引用来源于普金。

7 Journal of Design and Manufactures, vi, 1852, p.110.

8 在彼德·弗勒德［Peter Floud］最后一篇文章中讨论了莫里斯的纺织品发展: Architectural Review, cxxvi, 1959.

9 Mackail, J. W. The Life of William Morris, London, 1899, ii, p.5.

10 麦凯尔[Mackail]（loc. Cit., ii, p.272）说道："爱德华·伯恩-琼斯爵士告诉我，莫里斯可能更喜欢他尚未完成的画作中的那些面孔以及画作情绪中意味不明的主要含意。就像希腊与中世纪的艺术家，人的面貌对他来说仅是人体的组成部分，尽管那是一个非常重要的部分。"

11 Pevsner, Nikolaus. "Christopher Dresser, Industrial Designer." Architectural Review, 1xxxi,1937, pp.183—186.

12 有两个例子在维多利亚与阿尔伯特博物馆（C. 778—1925，一个盘子；C. 295—1926，一个瓶子），两件器物在任何方面都没有优于同时代的其他英国艺术家创作的陶瓷作品。

13 Blomfield, Sir Reginald. Richard Norman

Shaw, *R. A.*, London, 1940. Pevsner, Nikolaus. "Richard Norman Shaw, 1831—1912" in *Victorian Architecture* (ed. Ferriday, p.), London, 1963.

14 Hitchcock, Henry-Russell. *The Architecture of H. H. Richardson and his Times*, New York (Museum of Modern Art), 2nd ed., 1961.

15 *A Monograph of the Work of McKim, Mead and White, 1879—1915*, New York, 1915—1919, i. Also Scully, V. J. *The Shingle Style*, New Haven, 1955.

第三章

1 Vollard, Ambroise. *Renoir, an Intimate Record*, New York, 1925, p.129.

2 Gasquet, Joachim. *Cézanne*, Paris, 1921, p.46.

3 Cézanne, Paul. *Letters*, London, 1941, p.234.

4 Van Gogh, Vincent. *Letters to Émile Bernard*, New York (Museum of Modern Art), 1938, p.51.

5 *Further Letters of Vincent van Gogh to his Brother, 1886—1889*, London, 1929, p.174.

6 同上, p.171.

7 同上, p.166. 有趣的是某种关于塞尚的评论指向了类似观点。他拒绝描绘克莱蒙梭，因为他无法想象"苦涩的蓝色与令人厌恶的黄色"以及"别扭的线条"，一如他最初所认为的那样。他对此做了说明："这个人并不信仰上帝。"Gasquet，同前文引，P. 118.

8 Further Letters..., p.384.

9 同上, pp.332, 413.

10 同上, p.203.

11 除塞尚外，高更以及其他早期的法国后印象派见J. Rewald, *Post-Impressionism, from van Gogh to Gauguin*, New York (Museum of Modern Art), n.d. (1956).

12 参照Fegdal, Charles. *Félix Vallotton*, Paris, 1931.

13 参照Sponsel, Jean Louis. *Das moderne Plakat*, Dresden, 1897. Price, Charles Matlack. *Posters*, New York, 1913. Kauffer, E. McKnight. *The Art of the Poster*, London, 1924. Koch, R. "Art Nouveau Posters." *Gazette des beaux arts*, 6th ser., I, 1957.

14 Jamot, Paul. *Maurice Denis*, Paris, 1945.

15 Rewald, 同前引, p.446.

16 Koch, R. *Marsyas*, v, 1950—1953.

17 Plasschaert, A. *Jan Toorop*, Amsterdam, 1925. Knipping, J. B. *Jan Toorop*, Amsterdam, 1945.

18 *Dekorative Kunst*, i, 1898. 引自Madsen, S. T., *Sources of Art Nouveau*, Oslo, 1956, p.199.

19 参照Bahr, Hermann. *Die Überwindung des Naturalismus*, Berlin, 1891.

20 梅特林克是托罗普的朋友。

第四章

1 Schmutzler, R. "The English Sources of Art Nouvean," *Architectural Review*, cxvii, 1955, 以及"Black and Art Nouveau," *Architectural Review*, cxviii, 1955. 又见Pevsner, N., "Beautiful and, if need be, useful," *Architectural Review*, cxxii, 1957. 评论见 Madsen, Stefan Tschudi, *Sources of Art Nouveau*, Oslo, 1956, 这是相关主题的标准之作。这本书值得继续研究的另一评论见J. M. Jacobus Jr in *Art Bulletin*, xl, 1958, p.362. 十分有用的新艺术运动相关文献见J. Grady (*Journal of the Society of Architectural Historians*, xiv, 1955)，马德森的书里也有一份详尽的书目。有关麦克默多的介绍见Pevsner, N., *Architectural Review*, lxxxiii, 1938. 讨论麦克默多标题页对排版设计的影响见Baurmann, R., "Art Nouvean Script," *Architectural Review*, cxxiii, 1958. 德国在1959年出版了一部关于新艺术运动的文集，因迟迟未获而在此处未引用：*Jugendstil, der Weg ins 20. Jahrhundert*, edited by H. Seling, Heidelberg and Munich, 1959.

2 见其于1888年在查尔方特·圣彼得[Chalfont St. Peter]所设计的走廊与楼梯间装饰。图例见*British Architect*, xxxiii, 1890, pp.26—27.

3 一个例子是关于雕塑家艾尔弗雷德·吉尔伯特1892年在皮卡迪利广场的爱神喷泉，艺术与手工艺创新以及独特的巴洛克倾向显现于非常个性化的新艺术之中。

4 参照*The Early Work of Aubrey Beardsley*, London, 1899, and *The Later Work of Aubrey Beardsley*, London, 1901. Recently Reade, B. *Aubrey Beardsley*, London, 1966.

5 当时比亚兹莱可能仍然受到罗塞蒂为莫克森[Moxon]版的丁尼生《诗集》(London, 1857)所创作木刻作品的影响——尤其见*The Lady of Shallott*, p.75，及*The Palace of Art*, p.113.

6 关于沙利文的讨论见Morrison, Hugh. *Louis Sullivan*, New York (Museum of Modern Art), 1935. Hope, Henry R. "Louis Sullivan's Architectural Ornament." *Magazine of Art*, xl, 1947, pp.110—117 (重刊于 *Architectural Review*, cii, 1947, pp.111—114).

7 Sullivan. *Kindergarten Chats*, p.189.

8 在1936年1月23日给作者的一封信中，他称其只关注在布鲁塞尔保罗·埃米尔-詹森街6号的设计"创作了一座独特的建筑，但画家和雕塑家关心的是他们所看到的与内心感受到的......"，尽管当时他强调房屋构造与理性规划。他补充说当他设计早期的作品时沃伊齐与比亚兹莱对其一无所知，并没有谈及托罗普。关于霍尔塔最具学术性的出版物来自马德森S. T., *Architectural Review*, cxviii, 1955. 相关全图亦可参照*L'Architettura*, iii, 1957—1958, pp.334, 408, 479, 548, 622, 689, 766, 836; Kaufmann, Edgar, *Architects' Year Book*, viii, 1957 and, yet more recently, R. L. Delevoy, *Victor Horta*, Brussels, 1958.

9 Van de Velde. *Die Renaissance...*, pp.61ff., 以及*Architectural Review*, cxii,

1952.

10 引自Madsen, p.319.

11 Conrady, Ch., and Thibaut, *R. Paul Hankar*, Édition Texhuc, Revue La Cité, 1923.

12 顺便一提，他的风格与他提倡改革女装设计中的“有机”风格的事实之间也存在联系。

13 联合起来便明显地看到19世纪功能主义理论与自由装饰表现之间的矛盾。普金是第一个例子。第一章中已谈到他对于“合适”的信仰表达，毫无悬念的是他那些精美的哥特式草图及其丰富的装饰。对于新艺术，马德森提供了新艺术家当中几个引人注目的案例（Gallé 1900, p.178; Gaillard 1906, pp.372—373），而我在第一章引用了奥布里斯特的评论并没有准备精美的图例，这在这一章的后面继续讨论。范·德·威尔德关于结构化的论文写于1902至1906年；也许他还没有一开始时彻底。

14 Koch, R. *Gazette des beaux arts*, 6th ser., liii, 1959.

15 多大程度上他能够完全掌握这些创新还难说。盖勒自19世纪70年代已经在英国，但他在如此之早的时期里看到了什么呢？另一方面，在我对克里斯托弗·德莱塞作品的探讨里（见第二章注10），我发现德莱塞在1880至1890年之间制作的一些玻璃器的照片，它们与盖勒的作品十分神似。一件瓶器的插图刊载于《建筑评论》[*Architectural Review*], lxxxi, 1937, p.184。这可能受到盖勒的启迪，也可能与盖勒无关。

16 *The Art Work of Louis C. Tiffany*, New York, 1914; 还有一份图例说明Tiffany, Favrile Glass, 1896, 以及纽约当代工艺博物馆[Museum of Contemporary Crafts in New York]在1958年举办蒂凡尼展览[Tiffany exhibition]的图录（文本由R.科赫[R. Koch]编辑）。

17 图例见*Pan*, ii, 1896—1897, p.252.

18 有关这些与巴黎的新艺术同样见Cheronnet, L., *Paris vers 1900*, Paris, 1932.

19 Hitchcock, Henry-Russell. “London Coal Exchange.” *Architectural Review*, ci, 1947, pp.185—187.

20 A. D. F. 哈姆林[A. D. F. Hamlin]的文章《新艺术运动起源与发展》[L' Art Nouveau, Its Origin and Development]（*Craftsman*, iii, 1902—1903, pp.129—143）高估了法国的原创性与重要性。毕竟，他谈到早在1895年他在巴黎出版的一篇文章唤起了从比利时来的法国设计师们独立性的恢复。至少引领新艺术运动的法国代表是比利时人让·邓普托[Jcan Dampt]。

21 范·德·威尔德（*Die Renaissance*..., p.15）误认为德累斯顿展览[Dresden Exhibition]“没有人在德国想到艺术化工艺的回归”。

22 进一步的信息参看Schmalenbach, *Jugendstil*, 以及新近出版的回忆录Friedrich Ahlers-Hestermann, *Stilwende*, Berlin, 1941, 还有Karl Schemer, *Die fetten und die mageren Jahre*, Leipzig, 1946.

23 Fendler, F. Special issue of *Berliner Architekturwelt*, 1901.

24 参照Schmalenbach, 同前引, p.26.

25 他们最为突出的形式是1901至1902年的奥特尔纪念碑[Oertel Monument]，图例见Schemer, Karl, *Die Architektur der Grosstadt*, Berlin, 1913, p.182, 以及Ahlers-Hestermann, 同前引, p.63. 需要认识到沙利文与高迪处在当代装饰的两个方向上的关系。

26 维也纳是一个方面，而吉玛德的巴黎式是另一个方面的来源，使得意大利在稍晚一些时候形成了局部且小范围的新艺术繁荣。主要的代表是雷蒙多·达隆科[Raimondo d' Aronco]（1857—1932）与朱塞佩·索马鲁加[Giuseppe Sommaruga]（1867—1917）。前者的杰作[*magnum opus*]在1902年的展览[Turin Exhibition]上展出。他们实际上“非常的维也纳”，在一些细节上也看得到直接的英国影响。索马鲁加在1903年建造了米兰威尼斯街[Corso Venezia]的卡斯提格里尼广场[Palazzo Castiglioni]以及1909至1912年在瓦雷泽[Varese]建造了鲜花广场旅馆[Hotel Campo dei Fiori]。他们密集、浓稠的装饰却没有触及建筑的实质。关于达隆科的讨论见：Nicoletti, M., *Raimondo d' Aronco*, Milan（Il Balcone）, 1955; 以及Mattioni, E., L' Architettura, ii,1956—1957. 关于索马鲁加见：Monneret de Villard, U., *L' Architettura* di G.Sommaruga, Milan, no date; Angelini, L., *Emporium*, xiv, 1917; *Rivista del Comune di Milano*, 31 May 1926; Tentori, F., *Casabella*, No. 217, 1958. 近年来对新艺术兴趣的回归十分明显。这可以从最近建筑上的“新自由主义”倾向中得到解释，1907年在米兰圣保罗街前重建的、由凯萨·卡塔内奥[Cesare Cattane]设计的科尔索[Cirso]酒店立面是迄今最具代表性的例子。新的建筑是一座保险公司办公楼，其建筑师帕斯夸利[Pasquali]与加林贝尼[Galimberti]负责一处热门古代遗迹的特殊保护。

27 April 15, 1901. 引自Madsen, p.300.

28 *Art Journal*, October 1900, 引自Madsen, p.300.

29 Crane, Walter. *William Morris to Whistler*, London, 1911, p.232.

30 另外的编辑者是作家与诗人奥托·朱利斯·比尔鲍姆[Otto Julius Bierbaum]。

31 当时这个趋势的相同变化被德国期刊《室内装饰》[*Inncndekoration*]注意到。这本杂志由亚历山大·科赫[Alexander Koch, 1860—1939]于1890年创办。然而最初仅关注于阶段性的装饰，在1894年刊载了一些欧内斯特·牛顿[Ernest Newton]与乔治和佩托[George and Peto]的作品及杰弗里[Jeffrey]与埃塞克斯[Essex]印刷的英国墙纸的插图。从1895年开始，新艺术运动的艺术形式开始扩散。科赫出版贝利·斯科特与阿什比为达姆斯塔德的大公宫设计的房间，标志着《室内装饰》杂志这种新风格的胜利。他十分负责地在达姆斯塔德宫建立起艺术家群体的据点。我的朋友恩斯特·米哈尔斯基[Ernst Michalski]在其文章（"Die entwicklungsgeschichtliche Bedeutung des Jugendstils," *Repertorium für Kunstwissenschaft*, xlvi, 1925, pp.133—149）中讨论了青年风格，这篇文章也是我所能见的最早的视新艺术运动为有价值的艺术史问题的文章，他也是黑森的路德维希王子[Ludwig Prince]的朋友。

32 还有毕维斯·德·夏凡纳、德加、莫奈以及弗兰德与斯堪的纳维亚的民俗画家。

33 Madsen, *Post-Impressionism*, pp. 141, 231, 360.

34 Rewald, *Post-Impressionism*, p.487.

35 Maus. *Trente années de lutte pour l'art*, 1884—1914.

36 参见Madsen, 在上述引文中, p.284.

37 讨论高迪的第一本来自1928年：Ráfols, J. P., *Antoni Gaudí*. This was followed by Puig Boada, I., *El Templo de la sagrada Familia*, Barcelona, 1929. 值得关注的是1930年伊夫林·沃[Evelyn Waugh]讨论高迪的文章（*Architectural Review*, lxvii, pp.309ff.）。这篇文章撇开圣家族大教堂，以米拉之家[Casa Milá]与古埃尔公园作为插图。伊夫林·沃先生非常灵活地对这些建筑与德国表现主义电影做了比较。关于高迪的研究在最近几年有所发展：Cirlot, J. *El arte de Gaudí*, Barcelona, 1950. Martinell, C. *Antonia Gaudí*, Milan（Astra Arengaria）, 1955. "Gaudí," *Cuadernos de Arquitectura*, No. 26, 1956. Bergos, J. *Antoni Gaudí, l'hombre i l'obra*, Barcelona, 1957. Hitchcock, H. R. *Antoni Gaudí*. Catalogue of an exhibition held at the Museum of Modern Art, New York, 1948. Valles, J. Prats, *Gaudí*（foreword by Le Corbusier）, Barcelona, 1958.

第五章

1 但在作者的意见里不再具有说服力。其中一个反对意见来自Sigfried Giedion, *Space, Time and Architecture*, Cambridge, Mass., 1941, 认为他过分强调现代风格的审美成分与技术成分的对抗。

2 自本书首版于1936年后，我们关于建筑中的铁材知识已有了极大地增加，吉迪恩书中与此相关章节已在前面的注释中提到。他们极大地增加了吉迪恩博士所编辑的内容，见其*Bauen in Frankreich, Eisen, Eisenbeton*, Leipzig, 1928, 更为清晰的一本书可参看Alfred Gotthold Meyer's *Eisenbauten*, Esslingen, 1907. 在吉迪恩博士之后两本最为重要的书：Gloag, John, and Bridgewater, Derek, *Cast Iron in Architecture*, London, 1948; Sheppand, Richard, *Cast Iron in Building*, London, 1945. 近期对相关主题的整理以及超过此前所出版的是Bannister, T., "The first iron framed buildings," *Architectural Review*, cvii, 1950, pp.231 ff. A. W. 斯肯普顿[A. W. Skempton]与H. R. 约翰逊[H. R. Johnson]的一篇论文，*Transactions of the Newcomen Society*, xxx, 1956, 纠正了上书中一些重要的观点。也可参照Skempton, A. W., "Evolution of the Steel Frame Building," *The guild Engineer*, x, 1959.

3 Von Wolzogen, Alfred. *Aus Schinkels Nachlass*, Berlin, 1862—1864, iii, p.141.

4 Ettlinger, L. "A German Architect's Visit to England in 1826." *Architectural Review*, xcvii, 1945.

5 Gilchrist, A. *Architectural Review*, cxv, 1954, p.224.

6 Braunschweig, 1852, p.21.

7 圣路易斯河边的商店建筑似乎后来在吉迪恩博士的《空间，时间和建筑》一书中出版过。纽约的铸铁建筑立面图例见*Building News*, xvi, 1869.

8 Woodward, G. *Architectural Review*, cxix, 1956, pp.268ff.

9 1864年2月29日在英国皇家建筑协会[Royal Institute of British Architects]的演讲，引自Harris, Thomas, *The Three Periods of English Architecture*, London, 1894, p.84. 例如艾奇逊于1863年在伦敦建的56—61车道[Nos. 56—61 Mark Lane]。英国早期的这些铸铁建筑立面参照Hitchcock, H.-R., *Architectural Review*, cix, 1951, pp.113ff., 以及*Early Victorian Architecture in Britain*, New Haven and London, 1954.

10 *Architectural Review*, cxxii,（1957）p.32. 参照Skempton, A. W., The Times, February 27, 1959, 以及一篇同样的论文*Trans. Newc. Soc.*, xxxii, 1960.

11 感谢约翰·马斯[John Maass]提供了这座建筑的照片，他也让我注意到A. L. 赫克斯特布尔[Huxtable]的出版物*Progressive Architecture*, xxxvii, 1956. 更扼要的注释见*Journal of the Society of Architectural Historians*, October 1950 and March 1951.

12 *British Architect*, xxxvii, 1892, p.347.

13 *Builder*, xxiii, 1865, p.296.

14 图例见Giedion, S., *Space, Time and Architecture*, 1st ed., p.139.

15 Maguire, R., and Matthews, p. "The Iron Bridge at Coalbrookdale." *Architectural Association Journal*, lxxiv, 1958. 在班尼斯特[Bannister]教授之后还有Raistrick, A., *Dynasty of Ironfounders*, London, 1953.

16 班尼斯特教授提到一座铁吊桥的更早插图见Venanzio, Fausto, *Machinae Novae*, Venice, 1595.

17 关于蒂斯河桥的讨论有：Hutchinson, W., *History and Antiquities of the County Palatine of Durham*, iii, p.297. 亦见*Country Life*, September 23 and November 4, 1965. 关于约伯河桥的讨论有：Finley, James, "A Description of the Patent Chain Bridge," *Port Folio*, n. s. iii, 1810, pp.441—453.

18 关于泰尔福特见Rolt, L. T. C., *Thomas Telford*, London, 1958.

19 关于布鲁内尔见Rolt, L. T. C., *Isambert*

Kingdom Brunel, London, 1957.

20 一座铁铸的方尖碑比威尔金森在西里西亚[Ullersdorf in Silesia]建造的还要早。建于1802年，72英尺高（见Schmitz, *Berliner Eisenguss*, Berlin, 1917, p.19）。1814年为哲学家费希特[Fichte]建了另一个纪念碑。铁尖塔在19世纪已经变得十分平常，相关例子见鲁昂大教堂[cathedrals of Roucn]及巴黎圣母院[Notre Dame in Paris]。

21 这个例子一直不为公众所知，直到我在*The Buildings of England, The West Riding of Yorkshirs*. Harmondsworth（Penguin Books）, 1959一书中提及。

22 Whiffen, Marcus. *Stuart and Georgian Churches outside London*, London, 1947—1948, p.53, Pl. 67. 吉迪恩博士《空间，时间和建筑》一书中有一幅展示伦敦一家露着铁架支撑着一个小圆顶的书店的插图。其日期是1794年。

23 关于科文特花园的讨论有：Britton, J., and Pugin, A., *Illustrations of the Public Buildings of London*, London, 1825—1828, i, p.220, pl. VI. On the Liverpool iron churches: Brown, A. T. *How Gothic Came Back to Liverpool*, Liverpool（University of Liverpool Press）1937. 关于约翰·克莱格的讨论有：Nasmyth, J. *Autobiography*, London, 1883, p.183. 内史密斯谈到利物浦的圣詹姆斯教堂，因那是布洛尔[Blore]设计的一座铁材建筑。但这难以断定。韦芬[Whiffen]先生的注释（*Stuart and Georgian Churches ...*）以1777至1781年位于格罗斯特郡[Gloucestershire]的泰特伯里[Tetbury]为重要参考。尽管如此，牧师曾经否认细长的柱子是铁心的。因此，埃弗顿[Everton]很可能是最先采用铁柱的例子。

24 *The Works of Sir John Soane*. Sir John Soane's Museum Publication No. 8. London, 1923, p.91.

25 Mackenzie, Sir G. S. "On the Form which the Glass of a Forcing-House ought to have, in order to receive the greatest possible Quantity f Rays from the Sun." *Transactions of the Horticultural Society of London*, ii, 1818, pp.170—177. Knight, Thomas Andrew. "Upon the Advantages and Disadvantages of Curvilinear Iron Roofs to Hot-Houses." *Transactions of the Horticultural Society of London*, v, 1824, pp.227—233.
Loudon, J. C. *Remarks on the Construction of Hothouses*, London, 1817.
Loudon, J. C. *Encyclopaedia of Gardening*, London, 1822, No. 6174.
Loudon, J. C. *Encyclopaedia of Cottage, Farm and Villa Architecture and Furniture*, London, 1842, Fig. 1732.

26 关于奥鲁的讨论见Doin, J. *Gazette des beaux arts*, 4th see, xi, 1914.

27 关于铁路建筑的重要作品现见Meeks, Carroll L. V., *The Railroad Station*, Yale University Press and London, 1956. 米克斯[Meeks]教授比较了这与石头所能达到的最大跨度，罗马万神殿[Pantheon in Rome]142英尺，伦敦圣保罗大教堂[St. Paul's in London]112英尺，君士坦丁堡圣索菲亚大教堂[St. Sophia in Constantinople]107英尺，等等。

28 所有引用均出自斯坦顿[Stanton]女士所发现的、还未被出版的信件，将刊载于其即将出版的、讨论普金的专著中。我非常感谢她允许我及让我的读者能够提前预览。

29 Ruskin, John. *The Stones of Venice*, London, 1851, i, pp.407, 405.

30 Pevsner, N. *Matthew Digby Wyatt*, London（Cambridge U. P.）, 1905, pp.19—20.

31 Harris, T. "What is Architecture?" *Examples of the Architecture in the Victorian Age*, London, 1862, p.57. Peter F. R. Donner, in "A Harris Florilegium," *Architecture Review*, xciii, 1943, pp.53—54, 认为哈里斯也是这个系列第一卷的编辑。尽管只有在这一卷里出现过。

32 *Seven Lamps of Architecture*, London, 1849, p.337.

33 Scott, Sir George Gilbert. *Remarks on Secular and Domestic Architecture*, London, 1858, pp.109—110.

34 引自Meeks, loc. cit., p.65. 这个观点一直流传至19世纪末。马德森引用了查理斯·贾尼尔的言论，他是1893年建造巴黎歌剧院[Paris Opéra]的建筑师，认为铁的使用"是一种方法，而不是准则"（p.224）。另外，还有具有代表性的法国招贴设计师格拉塞[Grasset]在1896年说道："铁材建筑是可恶的，因为人们愚蠢地假装袒露出一切。艺术需要包装而不仅是实用，而实用总是令人厌恶且可怕的。"

35 这段正是米克斯教授书中的箴言；亦见p.10.

36 见*La Presse*. 引自Giedion, *Bauen in Frankreich*, Leipzig, 1928, p.10.

37 由路易斯·查尔斯建于1863年的瓦兹维森奈教堂[Le Vésinet（Scine-et-Oise）]以及1868年由路易斯·奥古斯特设计的巴黎圣母院（见*Builder*, xxiii, 1865, pp.800, 805, 以及*Architectural Review*, ci, 1947, p.111）.

38 引自英文版, 1877, pp.385, 461.

39 英文版, London, 1881, pp.58, 59, 87, 91, 120—121. 根据罗宾·米德尔顿[Robin Middleton]博士自1868年第二卷研究讲座三，1869年讲座四，1870至1872年的讲座五等。米德尔顿博士讨论维奥利特-勒-杜克的论文（Cambridge, 1958）尚未出版。

40 Bisset, Maurice. *Gustave Eiffel*, Milan（Astra Arengaria）, 1957.

41 简要总结见油印版图录*Early Modern Architecture, Chicago, 1870—1910*, 2nd ed, New York（Museum of Modern Art）, 1940. Cf. also: Giedion, *Space, Time and Architecture*, Condit,C. W., *The Rise of the Skyscraper*, Chicago, 1952.

42 1880至1881年L. S. 巴芬顿[L. S. Buffington]有关摩天大楼的想象源自于维奥利特-勒-杜克的《对话录》而

且还很模糊。直到1888年芝加哥第一座摩天大楼诞生后他才放弃其专利。参照Morrison, Hugh. "Buffington and the Invention of the Skyscraper." *Art Bulletin*, xxvi, 1944, pp.1—2.
Tselos, Dimitros. "The Enigma of Buffington's Skyscraper." *Art Bulletin*, xxvi, 1944, pp.3—12.
Christison, Muriel B. "How Buffington Staked His Claim." *Art Bulletin*, xxvi, 1944, pp.13—24.
The Origin of the Skyscraper. Report of the Committee appointed by the Trustees of the Estate of Marshall Field for the Examination of the Structure of the Home Insurance Building. Thomas E. Tallmadge, ed, Chicago, 1939.

43 Sullivan, Louis H. "The Tall Office Building Artistically Considered." *Lappincott's Monthly Magazine*, lvii,1896, p.405. 亦可参照沙利文的搭档丹克马尔·阿德勒[Dankmar Adler]的论文："The influence of steel construction and of plate glass upon the development of the Modern Style." *Inland Architect and News Review*, xxviii, 1896. I have not been able to see this paper.

44 最近有关芝加哥学派的著作见Randall, F. A., *History of Building Construction in Chicago*, Urbana, 1949; 及Randall, J. D., *A Guide to significant Chicago Architecture of 1872 to 1922*, Glencoe, Illinois, privately printed, 1959.

45 Peter Collins. *Concrete*, London, 1959.

46 Collins, 同前引, p.27.

47 见前注37。

48 § 1792.

49 Wilkinson, W. B., 见Collins, 同前引, p.38.

50 Collins, 同前引, p.29.

51 Ruskin. *The Stones of Venice*, p.406.

第六章

1 尚未见讨论沃伊齐的专著。最好的论文见Brandon Jones, John, "C. F. A. Voysey," *Architectural Association Journal*, lxxii, 1957, pp.238—262. 亦见Pevsner, Nikolaus, "Charles F. Annesley Vosey," 艾尔斯维尔[Elsevier]的作品参照：*Elsevier's Maandschrift*, 1940, pp.343—355. 关于沃伊齐作品的更早出版物参照：*Dekorative Kunst*, i, 1898, pp.241ff.; Muthesius, H., *Das englische Haus*, Berlin, 1904—1905, i, pp.162ff.

2 沃伊齐的这种影响最为清晰的证据是19世纪90年代在布鲁塞尔设计的阿道夫·克莱斯宾[Adolphe Crespin]的墙纸。*Art et décoration*, ii, 1897, pp.92ff.

3 *The studio*, i, 1893, p.234.

4 讨论19世纪60年代受日本影响的作品见Rewald, John, *The History of Impressionism*, New York（Museum of Modern Art）, 1946, p.176. 讨论日本对新艺术运动的影响见Lancaster, Clay, "Oriental Contribution to Art Nouveau," *Art Bulletin*, xxxiv, 1952, 新近见Madsen, *Sources of Art Nouveau*, pp.188, etc. 对1900年之前的主题进行总体论述的见Gonse, L., "L'art japonais et son influence sur le goût européen," *Revue des arts décoratifs*, xviii, 1898. 一些重要的时间节点，包括1854年美国与日本之间首次签订官方条约，1859年英国与日本签订条约，1856年版画家布拉克蒙[Braquemond]于巴黎的店铺中发现了日本的木刻版画（他随后将之介绍给了龚古尔[Goncourts]、波德莱尔、马奈以及德加，也许还有惠斯勒），1862年日本参与了伦敦世博会[International Exhibition in London]。克里斯托弗·德莱塞在1876年到日本旅行。欧文·琼斯此前也在其书中有所提及，并在1867年出版了*Examples of Chinese Ornament*.

5 惠斯勒在1876至1877年间装饰的孔雀厅[The Peacock Room] 现在在华盛顿的弗利尔美术馆[Freer Gallery of Art]，其《瓷器国公主》绘制于1863至1864年间。

6 Pennell, E. R. and J., *The Life of J. McN. Whistler*, London, 1908, i, p.219; 以及Way, T. R., and Dennis, G. R., *The Art of J. McN. Whistler*, London, 1903, p.99. 1883至1884年间，惠斯勒在这些展览里负责设计白色、柠檬黄及粉色的墙壁装饰（Pennell, pp.310 and 313）。

7 这种在新旧观念之间的困惑更为有趣的例子——即"为艺术而艺术"的观点——从西奥菲勒·高蒂尔[Théophile]以及奥斯卡·王尔德的文字中看到。亦见：Gatz, Felix M., "Die Theorie des l'art pour l'art und Théophile Gautier," *Zeitschnft fur Aesthetik und allgemeine Kunstwissenschaft*, xxix, 1935, pp.11640.

8 他谈到那是"一个行为拙劣且目光短浅的人透过一场伦敦的雾所看到的印象"。National Association for the Advancement of Art and its Application to Industry, *Transactions, Edinburgh Meeting*, 1889, London, 1890, p.199.

9 *Ernest Gimson, His Life and Work*, Stratford-on-Avon, 1924.

10 Weaver, Sir Lawrence. "Tradition and Modernity in Craftsmanship." *Architectural Review*, lxiii, 1928, pp.247—249.

11 都铎王朝时期[Tudor]或者17世纪的庄园宅邸对沃伊齐产生了影响的两个例子：韦斯特伍德附近的埃文河畔的布拉德福德[Westwood near Bradford-on-Avon]，图例见Garner, T., and Stratton, A., *Domestic Architecture during the Tudor Period*, 2nd ed., London, 1929; 位于多塞特的伯斯·考德勒，图例见Oswald, A., *Country Houses of Dorset*, London, 1935.

12 率先登载其图片的是*Studio*, v, 1895. 也可参照Baillie Scott, M. H., *Houses and Gardens*, London, 1906.

13 右边的部分[Magpie and Stump]不够吸引人。

14 同样的拱已经出现在汤森德早期的作品中，他在1892至1894年间设计了伦敦主教门学院[Bishopsgate Institute]。关于他与理查森的关系见P. F. R. Donner, "Treasure Hunt," *Architectural*

Review, xci, 1941, pp.23—25. 其兄弟谈汤森德见The Magazine of Art, Feb. 1894.

15 这本书在最初写作时，尚未有专门探讨麦金托什的书出现。当本书在1949年做修订时这个空白尚未被填补。T. 豪沃斯[T. Howarth]教授的专著Charles Rennie Mackintosh and the Modern Movement, 出版于1952年并囊括了所有需要的信息。由于我与豪沃斯教授对一些观点的解释有所不同，其中引用了我之前的一本小书（Pevsner, N., Charles R. Mackintosh, Milan [Il Balcone], 1950）。关于麦金托什作品的英文出版物图例及说明可参看：British Architect, xxxvii, 1892; xliv, 1895; xlvi, 1896; Studio, ix, 1896, p.205（a settee）; xi, 1897, pp.86-100（尤可参考格里森·怀特[Gleeson White]关于格拉斯哥小组的文章）。首次在海外出现见Dekorative Kunst, iii, 1899, p.69, etc.; iv, 1899, pp.78—79.

16 见Abbot, T. K., Celtic Ornaments from the Book of Kells, London, 1892—95; Allen, I. Romilly, "Early Scandinavian Woodcarvings," Studio, x, 更多关于凯尔特风格的信息见pp.207, 等。他谈到了莫里斯在1872年到爱尔兰的旅行；见J. T. 吉尔伯特爵士Account of Facsimiles of National Manuscripts of Ireland, Parts I—IV, 1874—1884; 见叶芝[Yeats]1889年发表的Wanderings of Oisin及1893年的Twilight; 并且将来自挪威的龙式建筑风格与自1840年复兴的中世纪风格之间勾勒出了一个具有说服力的对比（see Madsen, s. Tschudi, "Dragestilen," Vestlands ke Kunstindustrimuseum Arbok, 1949—1950, pp.19—62）.

17 在阿姆斯特丹突然兴起的表现主义中主要的代表是米歇尔·德·克拉克[MIchel de Klerk]以及皮特·克莱默[Piet Kramer]。杜克多[Dudok]也在此奉献多年。

18 在这个事件的解释上，我与豪沃斯教授及马德森博士有所不同。豪沃斯教授（上述引文，p.268）写道："长久以来这被认为是麦金托什的；作者验证所有证据得出结论却并非如此。"马德森（p.404）写道："建筑毫无疑问是独立地在两个国家中发展起来的，而且一些装饰形式亦复如此。"另一方面，I. 哈特莱[I. Hatle]博士在一篇博士论文中（Gustav Klimt, Graz, 1955, p.66）完全认同苏格兰对克里姆特艺术风格的影响。更为鲜明的是麦金托什晚期的绘画创造，似乎也反映在了克里姆特的学生所发展的手法上，特别是20世纪初期的E. 希尔[E. Schiele]。

19 J. R. 纽伯里[J. R. Newbery]女士在有关格拉斯哥回顾展[Glasgow memorial Exhibition]的展览图录介绍里谈到了比亚兹莱、托罗普以及沃伊齐，并加上了卡洛斯·施瓦布[Carlos Schwabe]。托罗普的《三位新娘》图例见Studio, i, 1893, p.247. 施瓦布、马德森（p.180）1891年的一本书的插图实际上出自埃克曼，要不就是麦金托什。豪沃斯教授也告诉马德森，纽伯里从施瓦布的图例中获得修拉的作品《梦想》。

20 其他对1900至1914年间英国现代运动先锋感兴趣的相关文章见：'Nine Swallows - No Summer', Architectural Review, xci, 1942, pp.109—112. 最为重要的建筑是1901年H. B. 克雷斯韦尔[H. B. Creswell]的昆斯费里工厂[Queensferry Factory]以及1900年莱瑟比[Lethaby]的伯明翰鹰戈保险大厦[Eagle Insurance in Birmingham]。

21 见第一章注释33。

22 Pevsner, Nikolaus. 'Model Houses for the Labouring Classes.' Architectural Review, xciii, 1943, pp.119—128.

23 Richards, J. M. 'Sir Titus Salt.' Architectural Review, lxxx, 1936, pp.213—218.

24 参照Hegemann, Werner. Der Städtebau, Berlin, 1911—1913, 2 vols, H·伊尼戈·瑞格[H. Inigo Triggs]在其书中认为1914年以前的德国在这方面处于杰出地位Town Planning, Past, Present and Possible, London, 1909, p.39："没有哪一个地方有关城镇规划的议题像在德国那样受到重视，多年来德国的杰出建筑师们对此做了诸多思考，并在国家层面的实践上使得各城市针对各自的地方推动公共设施发展……"

第七章

1 贝瑞逝于1954年。关于贝瑞见Jamot, Paul, A. -G. Perret et l'architecture du béton armé, Paris, 1927, 以及Rogers, E., Auguste Perret, Milan（Il Balcone）, 1955; 关于贾尼尔的讨论见Veronesi, Giulia, Tony Garnier, Milan（Il Balcone）, 1948.

2 Garnier, Tony. Une Cite Industnielle, Paris, 1917以及Pawlowski, Christophe, Tony Garnier, Paris, 1967.

3 引自Builder, Ixxx, 1901.

4 贾尼尔的火车站尽管未曾建成，但也是20世纪之初最伟大的火车站设计之一。最先建成的是埃利尔·沙里宁[Eliel Saarinen]（1870—1950）在赫尔辛基的火车站。设计于1905年并于1914年落成。其风格受到1900年前后维也纳的影响，有着醒目的组合以及一种类似于贾尼尔的不对称塔体设计。这种影响从赫尔辛基来到德国，一批杰出的火车站建筑耸立于斯图加特（由博纳茨[Bonatz]与斯科勒[Scholer]设计），始建于1911年并完成于1928年。

5 Bill, M. Robert Maillart, Zürich, 1949. 2nd ed., 1955. 另见有关麦拉特新编辑的吉迪恩博士的Space, Time and Architecture.

6 Le Corbusier and Jeanneret, P.Thr gesamts Werk von 1910—1929, Z ü rich, 1930.

7 Le Corbusier. Towards a New Architecture, London, 1931, pp.80, 82. 亦见Architectural Review, Ixxvi, 1934, p.41.

8 （原文中没有此注——译者注）

9 讨论弗兰克·劳埃德·赖特的优秀作品见Hitchcock, Henry-Russell, *In the Nature of Materials*, New York, 1942.

10 *Ausgeführte Bauten und Entwürfe von Frank Lloyd Wright*, Berlin（Wasmuth）, 1910; 以及*Frank Lloyd Wright: Ausgeführte Bauten*（由C. R. 阿什比作简介）, Berlin（Wasmuth）, 1911. 同是在1911年，贝拉赫抵达美国并来到芝加哥。一位年轻的芝加哥建筑师W. G. 珀赛尔[W. G. Purcell]早在1906年就向他介绍沙利文与赖特的建筑设计。贝拉赫对卡森·皮里·斯科特百货公司的印象特别深刻，并且见到赖特的拉金大楼以及他在芝加哥的众多建筑作品。回到荷兰后，贝拉赫公开演讲他在美国的所见并写成文章刊载于1912年*Schweizer Bauzeitung*上（参照Eaton, L. K., "Louis Sullivan and Hendrik Berlage," *Progressive Architecture*, xxxvii, 1956）. 因此赖特与荷兰有着相当的渊源，在第一次世界大战后，有两本特别的荷兰出版物提到他: Wijdeveld, H. T., *The Life-Work of the American Architect Frank Lloyd Wright*, seven special numbers of *Wendingen*, 1925; 以及 de Fries, H., *Frank Lloyd Wright*, Berlin, 1926. 其后出版了两本法文书籍，其中一本由亨利·拉塞尔·希克科克做介绍。美国的跟进则非常缓慢。赖特影响荷兰的最显著例子是范·霍夫[van't Hoff]建于1915年的房子，有关赖特风格在欧洲的其他一些建筑图例见Pevsner, Nikolaus, "Frank Lloyd Wright's Peaceful Penetration of Europe," *The Architects' Journal*, Ixxix, 1939, pp.731—734.

11 Endell, A. "Formenschönheit und dekorative Kunst." *Dekorative Kunst*, ii, 1898, pp.121ff.

12 Lux, J. A. *Josef Maria Olbrich*, Vienna, 1919.
Roethel, J. "Josef Maria Olbrich." *Der Architekt*, vii, 1958, pp.291—318.

13 这里已经提到在1903年建立的维也纳手工工场的资金很可能来自于弗里茨·瓦恩多费尔，他同时于1901年聘请麦金托什为其音乐厅做装饰设计。手工工场早期活跃的灵魂人物有约瑟夫·霍夫曼以及科罗莫·莫瑟。

14 但这里沙利文一再迎难而上。欧尔布里希设计的半圆形穹顶以及他的平面植物装饰的理念已经被运用在沙利文1892年设计的温莱特墓[Wainwright Tomb], Bellefontaine Cemetery, St. Louis. 图示可参考Morrison, Hugh, *Early American Architecture*, New York, 1952, Pl. 41.

15 Kleiner, Leopold. *Josef Hoffmann*, Berlin, 1927.
Rochowalski, L. W. *Josef Hoffmann*, Vienna, 1950.
Veronesi, Giulia. *Josef Hoffmann*, Milan（Il Balcone）, 1956.
亦见*Wendingen*, Nos. 8—9, 1920, and *L'Architettura*, ii, 1956—1957, pp.362ff. And 432ff.
关于斯托克雷特宫尤可参看Sekler, E. F. in *Essays in the History of Architecture presented to Rudolf wittkower*, London, 1967,内容全面而且十分有用。

16 Kulka, Heinrich. *Adolf Loos: das Werk des Architekten*, Vienna, 1931.
Münz, Ludwig. *Adolf Loos*, Milan（Il Balcone）, 1956.

17 例如彼特·贝伦斯在1926年为巴西特-洛克[Bassett-Lowke]先生建造于北安普顿的建筑；图见*Architectural Review*, lx, 1926, p.177.

18 Hoeber, Fritz. *Peter Behrens*, Munich, 1913.
Cremers, Paul Joseph. *Peter Behrens, sein Werk von 1909 bis zur Gegenwart*, Essen, 1928.

19 图例见*Architectural Review*, lxxvi, 1934, p.40.

20 参照Schmalenbach, F. *Jugendstil*, pp.28—29, 85.
Rodenberg, J. "Karl Klingspor." *Fleuron*, v, 1926.
Baurmann, Roswitha, "Schrift," in *Jugendstil*, edited by Seling, H., Heidelberg and Munich,1959.

21 相关讨论见Ahlers-Hestermann, *Stilwende*; p.109. 认为此屋的建造时间为1901年，但施拉德尔本人后来告诉我日期是1899年。

22 基于方形与环形的线条装饰作为贝伦斯此时的经典，就像施拉德尔、麦金托什，当然还有被称为"Quadratl-Hoffmann"的约瑟夫·霍夫曼的设计那样。

23 Johnson, Philip C. *Mies van der Rohe*, New York（Museum of Modern Art）, 1947.

24 Heuss, Theodor. *Hans Poelzig*, Berlin, 1939.

25 见Mebes, Paul. *Um 1800*, Munich, 1920.
Stahl, Fritz. *Karl Friedrich Schinkel*, Berlin, 1911.

26 见*L'Architettura*, iii, 1957—1958, 438.

27 奥克塔夫·米尔博早在1889年已将其视觉化，并命名为"combinaisons aériennes"（Giedion, *Bauen in Frankreich*, p.18）.

参考书目

This bibliography combines the two original supplementary biographies from previous editions with all books listed in chronological order where possible. There is a general section, then chapter by chapter, followed by the biographical addenda. Pevsner's commentary has been largely unedited, except for the sake of continuity. The publishers have added later editions of works already listed and additional titles to categories in order to encompass significant works since 1974.

总书目

Cassou, J., Langui, E., Pevsner, N. *The Sources of Modern Art*, London, 1962 (rev. pb. edn. London, 1968). This sumptuous volume is the commemoration of the exhibition 'Les Sources du XXe. Siècle' held in Paris in 1960. Architecture and design is the part treated by Pevsner.

Benevolo, L., *Storia dell'architettura moderna*, 2 vols., Bari, 1964 (2 vols. repr. in English, Cambridge, M.A., 1984).

Collins, P., *Changing Ideals in Modern Architecture*, London, 1965 (rev. edn., with introduction by Frampton, K., Montreal, Quebec/Kingston, Ontario, 1998). Deals with 1750 to 1950.

Posener, J., *Anfänge des Funktionalismus*, Berlin, 1964. An anthology.

Ponente, N., *Structures of the Modern World, 1850–1900*, London, 1965.

Hilberseimer, L., *Contemporary Architecture, its Roots and Trends*, Chicago, 1964.

Jordan, R. Furneaux, *Victorian Architecture*, Harmondsworth, 1966. The story is taken as far as 1914.

Sharp, D., *Sources of Modern Architecture*, London (Architectural Association Papers II – a bibliography), 1967 (pb. edn., London, 1981).

Pevsner, N., *Studies in Art, Architecture and Design*, 2 vols., London, 1968 (pb. edn., New York, 1992). Collected essays: among them are those quoted in the notes on 'Morris and Architecture', Mackmurdo, Voysey and Mackintosh, and also a paper on George Walton, another of the Glasgow pioneers of *c.*1900.

Professor Herwin Schaefer's *The Roots of Modern Design* (London, 1970) builds up a prehistory of twentieth-century design, totally different from mine. His thesis is something like this: my pioneers are individual innovators from *c.* 1890 onwards creating the modern style of the first half of the twentieth century, i.e. broadly speaking, functionalism. But Herwin Schaefer unfolds a whole history of functionalism in the eighteenth and nineteenth centuries, discussing and illustrating such things as microscopes, quadrants, compasses, adding machines, scales, lathes, big machines, locomotives, carriages, coffee-makers, scissors, ploughs and so on – all or nearly all anonymously designed. His examples are indubitably functional, but they are innocent of aesthetic efforts. So, according to him, my book is only part two, and his book ought to become part one. In this he is right, but where he is in my opinion in error is that he believes in a direct and conscious transmission of his impersonal functionalism to the functionalists dealt with in my book. I do not believe in this direct transmission and have not yet come across any evidence. And there is another aspect to Herwin Schaefer's book. His examples are mostly Victorian in date, but they are anti-Victorian in approach to design. His display and his arguments make me wonder whether I ought not to re-title my book 'Pioneers of the International Modern to 1914'. Such a re-titling would have the added advantage of drawing attention to the fact that the so-called International Modern which reached its climax in the thirties is no longer the style of today. We live in the shadow of Ronchamp and Chandigarh, of Paul Rudolph and James Stirling. Philip Johnson said to me some ten years ago: 'You are the only man alive who can still say Functionalism with a straight face.' I am unrepentant enough to take that as a compliment. So would of course Herwin Schaefer who gave his book the sub-title 'Functional Tradition in the Nineteenth Century'. Readers must make up their minds whether they want the history of the late nineteenth and early twentieth centuries as reflected by me, or as reflected by anti-rationalism.

The list of other general books may just as well start with *The Anti-Rationalists*, edited by Sir James Richards and myself, London, 1973 (pb. edn., New York, 1976). The book is a symposium and has chapters on Guimard, Wagner, Lechner (of Budapest), Mackmurdo, Mackintosh, Poelzig and others. The authors of most of these chapters will be found in the Biographical Addenda.

Posener, J., *Anfänge des Funktionalismus: von Arts und Crafts zum Deutschen Werkbund*, Berlin, etc., 1964. Readings from Lethaby, T.G. Jackson, Voysey, Ashbee, G. Scott, Muthesius and the Werkbund Conference of 1914.

Posener, J., *From Schinkel to the Bauhaus*, Architectural Association Papers V, London, 1972.

MacLeod, R., *Style and Society; Architectural Ideology in Britain, 1835–1914*, London, 1971.

Pevsner, N., *Studies in Art, Architecture and Design*, 2 vols., London, 1968. In volume 2 are chapters on Morris, Mackmurdo, Voysey and Mackintosh.

Sharp, D., *The Illustrated Encyclopaedia of Architects and Architecture*, London, 1991.

Frampton, K., *Modern Architecture: A Critical History*, London, (3rd edn.) 1992.

Curtis, W., *Modern Architecture Since 1900*, London, (3rd edn.) 1996.

Richards, J.M., Pevsner, N., and Sharp, D., (eds.) *The Anti-Rationalists and the Rationalists*, Oxford, 2000.

第一章

To the first sentences of the chapter cf. James Fergusson, *A History of Architecture*, 1861, vol. I, p. 9: Architecture is 'the art of ornamented or ornamental construction'. To the partiality in favour of the engineers cf. Franz Wickhoff (who died in 1909): 'The new style which one is always seeking has already been found, and it would be better if all building were done by engineers instead of architects'. I am quoting from U. Kulturmann, *Geschichte der Kunstgeschichte*, Vienna and Düsseldorf, 1966, p. 285.

Gere, C., and Whiteway, M., *Nineteenth Century Design: from Pugin to Mackintosh*, London, 1993.

第二章

From 1851 to Morris means the High Victorian and the beginnings of the Late Victorian. It would far transcend the limits of this bibliography even to try listing the new literature of the last twenty years.

ON DESIGN AND THE ARTS AND CRAFTS: Victorian Church Art, Exhibition, Victoria and Albert Museum, 1971–1972.

Victorian and Edwardian Decorative Art (The Handley-Read Collection), Exhibition, Royal Academy, London, 1972.

Naylor, G., *The Arts and Crafts Movement*, London, 1971.

Aslin, E., *The Aesthetic Movement, Prelude to Art Nouveau*, London, 1969; MacCarthy, F., *All Things Bright and Beautiful; Design in Britain, 1830 to Today*, London, 1972.

"*Special issue. The Arts and Crafts Movement and late nineteenth century British architecture,*" SD, no. 233 (2), February 1984, p. 5–56.

Davey, P., *Arts and Crafts Architecture*, London, 1997.

ON NESFIELD AND NORMAN SHAW: Girouard, M., *The Victorian Country House*, Oxford, 1971 (chapters on Nesfield's Kinmel Park, on Shaw's Cragside and Adcote, and on Webb's Standen).

第三章

SYMBOLISM: Lehmann, A.G., *The Symbolist Aesthetic in France*, 1885–1895, 2nd edn., Glasgow, 1968; Jullian, P., *The Symbolists*, London, 1973; Loevgren, S., *The Genesis of Modernism: Seurat, Gauguin, Van Gogh, and French Symbolism*, New York, 1983; Druick, D., and Zegers, P.K., *Van Gogh and Gauguin: The Studio of the South*, exhibition catalogue, Amsterdam and Chicago, 2001.

Signac's Two Milliners (Ill. 149), Rübele Collection, Zurich) is an additional illustration, because the picture is dated 1885 and yet is as ruthlessly stylized as any Seurat.

第四章

I wrote in 1968: 'the flood of new books is not yet subsiding'. It has not subsided since. The following list for 1955–67 is long, yet not complete. They are given here in chronological order and should be linked with note I to Chapter 4.

Pollack, B. *Het Fin-de-Siècle in de Nederlandsche Schilderkunst*, The Hague, 1955 (on painting and especially Toorop). Grady, James, in 1955 brought out '*A Bibliography of the Art Nouveau*' (Journal of the Society of Architectural Historians, xiv). Selz, P.H., and Constantine, M., (eds.) *Art Nouveau*, Museum of Modern Art, New York, 1959 (rev. edn. 1975), is brief, but as all publications of the museum, extremely useful. On S. Bing of the shop '*L'Art Nouveau*' see Koch, R., in *Gazette des Beaux Arts*, per. vi, vol. liii, 1959. Schmutzler, R. *Art Nouveau-Jugendstil*, Stuttgart, 1962 (trans. by E. Roditi, New York, 1962, London, 1964), is comprehensive and brilliant, the best book on the subject. In 1964 two more exhibition catalogues came out: *Munich, Haus der Kunst* (*Sezession: Europäische Kunst um die Jahrhundertwende*) and Vienna (*Wien 1898–1914, Finale und Auftakt*). Of the same year the first Italian book: Cremona, I. Il *Tempo dell' Art Nouveau*, Florence, 1964. Hennand, J. *Jugendstil, ein Forschungsbericht*, 1918–64, Stuttgart, 1965, is an intelligently done report on the development of Art Nouveau research. Guerrand, R.-H., *L'Art Nouveau en Europe*, Paris, 1965, a paperback, quite comprehensive, but lighter reading than Madsen's book (see below). Rheims, M., *L'art 1900*, Paris, 1965, (English edn., London, 1966) is a picture book with about 600 illustrations, many of them unknown. *Kunsthandwerk um 1900* is the title of the sumptuous catalogue of an exhibition held at Darmstadt in 1965 (vol. i, 1965). 1966 brought a volume on the art of the book: Taylor, J. Russell, *The Art Nouveau Book in Britain*, London, 1966 (repr. 1979). In the same year and in 1967 two paperbacks appeared: Amaya, M. *Art Nouveau*, London, 1966, and Madsen, S. Tschudi, *Art Nouveau*, London and New York, 1967, the latter eminently suitable as a textbook for students. Finally, also of 1967, the catalogue of an exhibition at Ostend ('Europe 1900') and a specialist treatise on typography and allied matters, by the author of two earlier books on Art Nouveau painting: Hofstätter, H.H., *Druckkunst des Jugendstils*, Baden-Baden, 1967. Pestalozzi, K. and Klotz, V. (eds.), Darmstadt, 1968.

The reception of Art Nouveau in England was not enthusiastic. When a number of Art Nouveau objects shown at the Paris Exhibition of 1900 had been presented by Mr George Donaldson to the Victoria & Albert Museum, Belcher, Blomfield, Macartney and Prior, all four architects of distinction, joined in a protest letter to *The Times*: 'It is much to be regretted that the authorities of South Kensington have introduced into the museum specimens of the work styled "l'Art Nouveau". This work is neither right in principle nor does it evince a proper regard for the materials employed. As cabinet maker's work it is badly executed. It represents only a trick of design, developed from debased forms, [and it] has prejudicially affected the design of furniture and buildings in neighbouring countries.'

Grover, R. and L., *Art Glass Nouveau*, Rutland, 1967. Battersby, M., *Art Nouveau*, London, 1969; Barilli, R., *Art Nouveau*, London, 1969 (Italian: Il Liberty, Milan, 1966); Koreska-Hartmann, L., *Jugendstil – Stil der 'Jugend'*, Munich, 1969. Bing, S., *Artistic America, Tiffany Glass and Art Nouveau*, Cambridge, M.A., 1970; Hensing-Schefeld, M., and Schaefer, I., *Struktur und Dekoration: Architektur-Tendenzen in Paris und Brüssel im späten neunzehnten Jahrhundert*, Stuttgart, 1969; Guerrand, R.-H., "*Art Nouveau and the Beaux Arts,*" Architectural Design, Vol. 50, No. 1/2, 1980, pp. 8–13; Greenhalgh, P., *Art Nouveau 1890–1914*, London, 2000; Tschudi-Madsen, S., *Sources of Art Nouveau*, trans. by R. Christophersen, Mineola, N.Y., 2002.

ART NOUVEAU PAINTING: On the Nabis, and especially Maurice Denis, Humbert, A., Les *Nabis et leur époche*, Paris, 1954; For Pollack, B. Het *Fin-de-Siècle …*, 1955 see the list for Art Nouveau. Hochstätter, H.H. *Geschichte der europäischen Jugendstilmalerei*, Cologne, 1963, and *Symbolismus in der Kunst der Jahrhundertwende*, Cologne, 1965; Delannoy, A., *Symbolistes et Nabis: Maurice Denis et son temps: Dix ans denrichissement du Patrimoine*, Paris, 1996.

JOURNALS: Pan: Salzmann, K.H., *Archiv für Geschichte des Buchwesens I*, 1958.

THE STUDIO: As a sign of the international popularity of *The Studio* in its early years and of the veneration extended to it, here are passages from Peter Altenberg (1839–1919): *Was der Tag mir zuträgt* (1900); Altenberg was a master of the feuilleton. 'Everything took place in good order for Iolanthe . . . Once a month, on every 15th, there appeared from London for her "*The Studio*, an illustrated Magazine of fine and applied Art". On that evening, after supper, Iolanthe placed herself in a low easy chair in the corner under a mild English standing lamp. On her delicate knees rested *The Studio* and slowly she turned page after page. Sometimes she stopped for a long while. Then her husband said: "Iolanthe . . ." She never called out to him, she never said: "Look." He remained seated at the supper table, smoking quietly, resting from the day. She sat in the low easy chair, turning the pages. Sometimes he moved towards the standing lamp, improved the light, adjusted the green silk shade, and retired again. It was like a holiday, that 15th of the month. "I am in England", she felt, "in England." He never touched her after such an evening, in such a night.'

第五章

INDUSTRY AND EARLY IRON: John Harris, (Arch. Rev., cxxx, 1961) has made the use of cast-iron columns in the Houses of Parliament in 1706 more than likely. The earliest church with cast-iron columns to support galleries seems to have been St James, Toxteth, Liverpool, in the 1770s (The Buildings of England, South Lancashire, Harmondsworth, 1969). Dr R. Middleton referred me to Pierre Patte in Blondel's Cours, vol. v, 1770, p. 387 and pl. 82 about iron columns in hothouses. The plate shows one in the *rue de Babylone* '*qui avait pris pour modèle les plus belles serres anglaises*'; for Patte writes, '*aujourd'hui ce sont les Anglais qui passent pour surpasser tous les autres*'. On the Strutts and the Arkwrights see now Fitton, R.S. and Wadsworth, A.P., Manchester, 1964, on Boulton & Watt, Gale, W.K.W., a City of Birmingham Museum publication, 1952. On the Miners' Bank, Pottsville see Gilchrist, *A Journal of the Society of Architectural Historians*, xx, 1961, p. 137. John Harris in his edition of *C.R. Cockerell's Ichnographia Domestica* (Architectural History, XIV, 1971) illustrates Cockerell's drawing of Richard Payne Knight's library at No. 3, Soho Square, and this had iron Gothic vaults.

Picon, A., (ed.) *L'art de l'ingenieur*, Paris, 1997.

THE MILL-OWNERS: Taylor, B., *Richard Arkwright*, London, 1957; Fitton, R.S., and Wadsworth, A.P., *The Strutts and the Arkwrights, 1758–1830*, London, 1958; Hills, R.L., *Richard Arkwright and Cotton Spinning*, London, 1973.

CRYSTAL PALACE: Fay, C.R., *Palace of Industry, 1851*, Cambridge, 1951; Beaver, P., *The Crystal Palace*, London, 1970.

Beutler, *'St Eugène und die Bibliothèque Nationale', Miscellanea pro Arte* (Festschrift H. Schnitzler), Düsseldorf, 1965.

第六章

JAPONISME: Chesnau, E., '*Le Japon à Paris*', Gazette des Beaux Arts (Second Period, XVIII, pp. 385–97 and 845–56), 1878. This refers to Manet, Whistler, Degas, Monet, Tissot and Stevens;

The Aesthetic Movement and the Cult of Japan, exhibition, Fine Arts Society, London, 1972;

Wichsmann, S., *Japonisme: The Japanese Influence on Western Art Since 1858*, London, 1999.

ANTI-VOYSEY: Lethaby said to Edward Johnston, when in 1898 he wanted to enter the Central School of Arts and Crafts (quoted from P. Johnston, Edward Johnston, London, 1959, p. 74): '*If you draw a straight line with a heart at the top and a bunch of worms at the bottom, and call it a tree, I've done with you.*'

TOWNSEND: The church of Great Warley in Essex ought to have been mentioned (1904) and in connection with this the Watts Chapel at Compton in Surrey (interior 1901). There are chapters on both of them in *The Anti-Rationalists* – see General reading.

WORKING-CLASS HOUSING: Tarn, J.N., *Working-Class Housing in Nineteenth Century Britain*, London, 1971.

BEDFORD PARK, LONDON: Artists and Architecture of Bedford Park, exhibition booklet, 1967 (architecture by T.A. Greeves). Also Greeves, T.A., in *Country Life*, cxlii, Nos. 3692 and 3693, 1967, and Fletcher, I., in Romantic Mythologies, London, 1967. The reference to Country Life should read: Country Life, cxlii, 1967, pp. 1524 ff. and 1600 ff. Mr Greeves emphasizes that Norman Shaw was not in on Bedford Park at the very beginning (see Building News, Vol. 33, 1877; Vol. 34, 1878; Vol. 36, 1879). I should have stressed Godwin more.

第七章

Side by side with Perret, Henri Sauvage ought to have been mentioned. His flats at 26, rue Vavin with their stepped-back façade are as early as 1910. The date is wrong in my *Sources of Modern Architecture and Design*, where the building is illustrated on p. 193. The correct date was pointed out to me by Professor Bisset.

Concerning Garnier's Cité Industrielle, I ought to have quoted more of the text. Here are some samples: '*C'est à des raisons industrielles que la plupart des villes neuves que l'on fondera désormais, vaudront leur fondation.*' His town is to have 35,000 inhabitants. The public authorities can dispose of the ground as they think best. Dwellings have neither backyards nor inner courtyards. No more than half the total area is built over; the rest is public green, and there are plenty of pedestrian passages. As for his building material, these are Garnier's words '*Tous les édifices importants sont presque exclusivement bâtis en ciment armé.*' As for character, the buildings are '*sans ornement*' and even '*sans moulures*'. Once the basic structure is complete the decorative arts can then be called in and decoration can contribute all the more '*nette et pure*' as it is '*totalement independente de la construction*'.

AMERICAN ARCHITECTURE: Condit, C.W., *American Building Art: The Nineteenth Century*, New York, 1960. Also

Condit, C.W., *The Chicago School, 1875–1925*, 2nd edn., Chicago, 1964. Moreover, more popular, Siegel, A., (ed.) Chicago's Famous Buildings, Chicago, 1965 (5th edn., Franz Schulze and Kevin Harrington, Chicago, 2003) and, in Italian, Pellegrini, L., nine articles from the Chicago School to Elmslie, Purcell, etc., in *L'Architettura i*, 1955–6; ii, 1956–7.

MCKIM, MEAD AND WHITE: My text has not done justice to them. Before they moved to their Neo-Renaissance and their Classical Re-revival, they designed with far greater originality. Of their houses the most daring one, the Low House at Bristol, Rhode Island, was built in 1887. I have illustrated it in *The Sources of Modern Architecture and Design*. Less well known is the Lovely Lane Methodist Church at Baltimore (Ill. 150). This dates from 1883–1887 and is a progressive continuation of the Richardson Romanesque. I owe the photograph to Professor Jordy. He illustrated the church in his edition of Schuyler (Montgomery Schuyler, *American Architecture and other Writings*, (eds.) W. H. Jordy and R. Coe, Cambridge, M.A., 1961, I, pp. 43 and 215).

SECESSION: See Waissenberger, R., *Die Wiener Sezession*, Vienna and Munich, 1971. I said of Olbrich's Hochzeitsturm of 1907–1908 that the strips of low horizontal window wrapped round a comer are probably earlier here than anywhere else. Herr Edgar Engelskircher drew my attention to Olbrich's Haus Deiters of 1900–1901 on the Mathildenhöhe, where the same motif occurs in a dormer.

Waissenberger, R., (ed.), *Vienna 1890–1920*, New York, 1984.

ANONYMOUS FUNCTIONAL DESIGN: see General reading. A parallel to Herwin Schaefer's book was an exhibition held in Munich in 1971: *Die verborgene Vernunft*, Exhibition Neue Sammlung, Munich, 1971.

FUTURISM: See Schmidt-Thomsen, J.P., *Floreale und futuristische Architektur, das Werk von Antonio Sant'Elia*, Berlin, 1967 (doctoral thesis). There was also an interesting movement of a cubist kind in Czechoslovakia, and the group, especially Josef Chochol and Joseph Gocar, both born in 1880, has been treated by J. Vokoun in *The Architectural Review* cxxxix, 1966, p. 229. (Burkhardt, F., "*Pointed architecture – the phenomenon of cubism in Czechoslovakia*," Modo, vol. 6, no. 47, March 1982, pp. 34–41.) Also *Architektura* _SSR, III, 1966 and – a partial translation of this – Casabella, No. 314, 1967. Martin, M.W., *Futurist Art and Theory*, 1909–1915, Oxford, 1968 (New York, 1978); Apollonio, U., (ed.), *Futurist Manifestos*, London, 1973 (pb. edn., Boston, 2001).

FAGUS FACTORY: Weber, H.: *Walter Gropius und das Faguswerk*, Munich, 1961.

传记附录

ASHBEE: Ashbee, C.R., *Memoirs*, 1938 (manuscript, Victoria and Albert Museum); Burroughs, B.G., "*Three Disciples of William Morris*," Connoisseur, clxxi–clxxiii, 1969–1970; "*C.R. Ashbee*," clxxii, pp. 85–90 and 262–6; Crawford, A., *C.R. Ashbee: Architect, Designer, Romantic Socialist*, New York, 1985.

BAILLIE SCOTT: Kornwulf, J.D., *M.H. Baillie Scott and the Arts and Crafts Movement*, Baltimore and London, 1972; Haigh, D., *Bailey Scott: the Artistic House*, London. 1995.

DE BAUDOT: Dario Matteoni et al, "*Anatole de Baudot, 1834–1915*," Special issue, Rassegna, vol. 18, no. 68 (4), 1996, p. 4–72.

BEARDSLEY: Calloway, S., *Aubrey Beardsley*, London and New York, 1998.

BEHRENS: Catalogue of an exhibition Kaiserslautern, Darmstadt, Vienna, 1966–7. Also *Schriften, Manifeste, Briefe* (Agora No. 20), 1967; Anderson, S., *Peter Behrens and a New Architecture for the Twentieth Century*, Cambridge, M.A. and London, 2000.

BERENGUER (a Catalan developing parallel to Gaudí): Mackay, D., *The Architectural Review*, cxxxvi, 1964.

BERLAGE: Singelenberg, P., *H.P. Berlage*, Amsterdam, 1969; Reinink, A. D., "American Influences on late-nineteenth century Architecture in the Netherlands," *Journal of the Society of Architectural Historians*, xxix, 1970, pp. 163–74; Polano, S., *Hendrik Petrus Berlage*, Milan, Italian edn. 1987 (English edn. New York, 1988, Milan, 2002); Bock, M., Collee, J., and Coucke, H., (eds.) *Berlage in Amsterdam*, Amsterdam, 1992.

BERNARD: Catalogue of an exhibition, Lille, 1967.

BRUNEL: Hay, P., *Brunel: Engineering Giant*, London, 1985.

BURNE-JONES: Wildman, S., *Edward Burne-Jones: Victorian Artist-Dreamer*, exhibition catalogue, New York, 2000.

BURNHAM & ROOT: *Architectural Record*, xxxviii, 1915.

CÉZANNE: Platzman, S., *Cézanne: the Self-Portraits*, London, 2001; Schapiro, M., *Cézanne*, New York, 2004.

DRESSER: *Christopher Dresser*, exhibition, Fine Arts Society, London, 1972. Halen, W., *Christopher Dresser: a Pioneer of Modern Design*, London, 1993. Durant, S., *Christopher Dresser*, London, 1993. Whiteway, M., (ed.) *Shock of the Old: Christopher Dresser's design revolution*, London, 2004.

DOMENECH (another of the Barcelona pioneers): Bohigas, O., *The Architectural Review*, cxlii, 1967.

DUTERT: Durant, S., *Palais des Machines: Ferdinand Dutert*, London, 1994.

EIFFEL: Prévost, J., *Eiffel*, Paris, 1929. (Not quoted in previous editions.); Besset, M., *Gustave Eiffel*, Paris, 1957; Igat, Y., *Eiffel*, Paris, 1961; Loyrette, H., *Gustave Eiffel*, New York, 1985.

ENDELL: Schaefer, I., *August Endell*, Werk, lviii, 1971, pp. 402–408; Anonymous: "*Endell*," *Architectural Design*, February 1972.

GALLÉ: Duncan, A., *Glass by Gallé*, London, 1984. Garner, P., *Emile Gallé*, London, 1990.

GARNIER: Wiebenson, D., *Tony Garnier: the Cité Industrielle*, London, 1969; Vayssiere, B.H. et al, *Tony Garnier: l'oeuvre complete*, Paris, 1989.

GAUDÍ: Collins, G.R., New York, 1960, is all-round the best book up to date, not long, not complicated, and always reliable. Sweeney, J.J., and Sert, J.L., London, 1960, is longer, more richly illustrated and perhaps more stimulating. Pane, R., Milan, 1964, large, beautifully illustrated but textually questionable. Yet another book: Casanelles, E., London, 1967, I had not seen at the time of writing. Nor have I seen Martinell, C., Barcelona, 1967, large and fully illustrated. On the *Parque Güell* exclusively see Giedion-Welcker, C., Barcelona, 1966. Martinell, C., *Gaudí, su vida, su teoría, su obra*, Barcelona, 1967; Perucha, J., *Gaudí, an Architecture of Anticipation*, Barcelona, 1967; Sert, J.L., Gomis, and Prats Valles, J., *Cripta de la Colonia Güell de A. Gaudí*, Barcelona, 1968; Masini, L.V., *Gaudí*, Florence, 1969; De Sola-Morales, I., *Antoni Gaudí*, photographs by Rafael Vargas, New York, 2003.

GAUGUIN: Jaworska, W., *Gauguin and the Pont Aven School*, London, 1972; Thomson, B., *Gauguin*, London, 1987; Shackelford, G.T.M., and Frèches-Thory, C., (eds.) *Gauguin Tahiti: The Studio of the South Seas*, London, 2004.

GIMSON: Burroughs, B.G., "*Three Disciples of William Morris*", Connoisseur, clxxi–clxxiii, 1969–70; "*Ernest Gimson,*" clxxi, pp. 228–32 and clxxii, 8–14; Carruthers, A., *Ernest Gimson and the Cotswold Group of Craftsmen*, Leicestershire, 1978.

GODWIN: Soros, S.W., (ed.) *E.W. Godwin: Aesthetic Movement Architect and Designer*, New Haven and London, 1999; Soros, S.W., (ed.) *The Secular Furniture of E.W. Godwin: with Catalogue Raisonné*, New Haven, 1999.

GROPIUS: Franciscono, M., *Walter Gropius and the Creation of the Bauhaus in Weimar*, Champaign, I.L., 1971; Fitch, J., and Gropius, I., *Walter Gropius: Buildings, Plans, Projects, 1906–1969*, exhibition catalogue, Cambridge, M.A., 1973; Nerdinger, W., *Walter Gropius: opera completa*, Milan, 1993.

GUIMARD: Lanier Graham, F., *Hector Guimard*, Museum of Modern Art, New York, 1970; Cantacuzino, S., "*Hector Guimard*," in The Anti-Rationalists, London, 1973, pp. 9–31; Naylor, G., and Brunhammer, Y., *Hector Guimard*, London, 1978; Rheims, M., and Vigne, G., Hector Guimard, photographs by F. Ferre, New York, 1988.

HANKAR: Loyer, F., *Ten years of Art Nouveau: Paul Hankar architect*, Brussels, 1991.

HOFFMANN: Sekler, F., "*Art Nouveau Bergerhöhe*," Architectural Review, cxlix, 1971, pp. 75–76; Noever, P., *Josef Hoffmann Designs*, Vienna, 1992; Seckler, E., *Josef Hoffmann: The Architectural Work, Monograph and Catalog of Works*, New York, 1985.

HOLABIRD: Blaser, W., Chicago architecture: *Holabird & Root 1880–1992*, Basel, 1992; Bruegmann, R., *The Architects and the City: Holabird & Roche of Chicago, 1880–1918*, Chicago and London, 1997.

HORTA: Delavoy, R. L., Brussels, 1958. Borsi, F., and Portoghesi, P., *Victor Horta*, Brussels, 1969; Hustache, A., *Victor Horta: maisons de campagne*, photographs by A. Carew-Cox; introduction by F. Dierkens-Aubry, Brussels, 1994; Dernie, D., and Carew-Cox, A., *Victor Horta*, London, 1995.

KLIMT: Catalogue of an exhibition in the Galerie Weltz, 1965. Nebehay, C. M., *Gustav Klimt: Dokumentation*, Vienna, 1969; Hofmann, W., *Gustav Klimt und die Jahrhundertwende*, Salzburg, 1970; Novotny, F., and Dobai, J., *Gustav Klimt,* Salzburg, 1971; Whitford, F., *Klimt*, London, 1990.

LABROUSTE: Van Zanten, D., *Designing Paris: the Architecture of Duban, Labrouste, Duc and Vaudoyer*, Cambridge, M.A. and London, 1987.

LETHABY: Weir, R.W.S., *William Richard Lethaby*, London, 1932. Burroughs, B. G., "*Three Disciples of William Morris,*" Connoisseur clxxi–clxxiii, 1969–70; "W.R. Lethaby", clxxiii, pp. 33–37.

LOOS: Sämtliche Schriften, vol. I, *Vienna and Munich*, 1962. Münz, L., and Künstler, G., *Vienna and Munich*, 1964. The English edition, London, 1966, has translation of three of Loos' essays and a long introduction by Pevsner, N. Gradmann, E., Adolf Loos, *Aufsätze zur Architektur, Institut für Geschichte und Theorie der Architektur*, VI, Zurich; Basel, 1968, pp. 37–41; Gravagnuolo, B., *Adolf Loos: Theory and Works*, preface by A. Rossi, Milan, 1982.

MACKINTOSH: MacLeod, R., *Charles Rennie Mackintosh*, London, 1968; Pevsner, N., "*Charles Rennie Mackintosh,*" in *Studies* (see General reading), pp. 152–75; Walker, D., "*The Early Works of Mackintosh,*" in *The Anti-Rationalists*, London, 1973, pp. 116–35; Sekler, E., "*Mackintosh and Vienna,*" in *The Anti-Rationalists*, pp. 136–42; Crawford, A., *Charles Rennie Mackintosh*, London, 1995; Kaplan, W., (ed.), *Charles Rennie Mackintosh*, Exhibition catalogue, New York and London, 1996.

MACKMURDO: Pond, E., *The Architectural Review*. cxxviii, 1960. "*Arthur H. Mackmurdo,*" in *Studies* (see General reading), pp. 132–39; Pond, E., "*Mackmurdo Gleanings,*" in *The Anti-Rationalists* (see General reading), pp. 111–15.

MAILLART: Gunschel, G., *Grosse Konstrukteure*, Berlin, etc., 1965. Chapters on Freyssinet and Maillart; Billington, D.P., *Robert Maillart and the Art of Reinforced Concrete*, New York and London, 1990; Billington, D.P., *Robert Maillart: Builder, Designer and Artist*, Cambridge, 1997.

MAJORELLE: Duncan, A., *Louis Majorelle: Master of Art Nouveau Design*, New York, 1991.

MIES VAN DER ROHE: Schulze, F., *Mies van der Rohe: A Critical Biography*, Chicago and London, 1985; Riley, T., and Bergdoll, B., (eds.) *Mies in Berlin*, New York, 2001.

MORRIS: Thompson, E.P., London, 1955, [is] an intelligent treatment from the Marxist point of view, Thompson, Paul, London, 1967, the best all-round book, and Henderson, P., London, 1967; Lamire, E.D., (ed.), *The Unpublished Lectures of William Morris*, Detroit, 1969; Meier, P., *La pensée utopique de William Morris*, Paris, 1972; Pevsner, N., "*Morris,*" in *Some Architectural Writers of the Nineteenth Century*, Oxford, 1972, pp. 269–89 and 315–24; Pevsner, N., "*Morris and Architecture,*" in *Studies* (see General reading), pp. 108–17; McCarthy, F., *William Morris: A Life for Our Time*, London, 1995; Parry, L., (ed.) *William*

Morris, London, 1996; Van der Post, L., *William Morris and Morris & Co*, London, 2003.

MUNCH: Hodin, J.P., *Munch*, London, 1972; Bock, H., and Busch, G., (eds.), *Edvard Munch-Probleme-Forschungen-Thesen*, Munich, 1973; Wien, A., and Schröder, K.A., (eds.), *Edvard Munch: Theme and Variation*, Stuttgart, 2003.

MUTHESIUS: Posener, J., in *Architects' Yearbook*, x, 1962.

OLBRICH: *Olbrich: das Werk des Architekten*, exhibition, Darmstadt, Vienna, Berlin, 1967; Schreyl, K.H., *J.M. Olbrich: die Zeichnungen in der Kunstbibliothek Berlin*, Berlin, 1972; De Lasarte, J.A., *Joseph Maria Olbrich*, London, 1978; Latham, I., *Joseph Maria Olbrich*, London, 1980.

PAXTON: McKean, J., *Crystal Palace: Joseph Paxton and Charles Fox*, London, 1994.

PERRET: Zahar, M., *D'une doctrine d'architecture: Auguste Perret*, Paris, 1959; Peter Collins, in *Concrete*, 1959, quoted above, has 100 pages on Perret; Goldfinger, E., (ed.), Auguste Perret, *Writings on Architecture*, Studio Vista, 1971; Britton, K., *Auguste Perret*, London, 2001.

POELZIG: Heuss, T., *Poelzig, ein Lebensbild*, Tübingen, 1939; *Hans Poelzig* (ed. J. Posener), Berlin, 1970; Posener, J., "*Poelzig*," in *The Anti-Rationalists* (see General reading), pp. 193–202; Heuss, T., *Hans Poelzig 1869–1936*, Milan, 1991.

PRITCHARD (J.F.): The date of birth [I give] was published in Blackmanbury, I, No. 3, 1964.

RICHARDSON: Eaton, L.K., *American Architecture Comes of Age; the European Reaction to H.H. Richardson and Louis Sullivan*, Boston, 1972; Ochsner, J.K., *H.H. Richardson: Complete Architectural Works*, Cambridge, M.A. and London, 1982; Floyd, M.H., *Henry Hobson Richardson: A Genius for Architecture*, photographs by P. Rocheleau, New York, 1997; Meister, M., (ed.) *H.H. Richardson: The Architect, his Peers and Their Era*, Cambridge, M.A. and London, 1999.

ROSSETTI: Treuherz, J., Prettejohn, E., and Becker, E., *Dante Gabriel Rossetti*, London, 2003.

ROOT: Hoffmann, D.D., (ed.), *The Meanings of Architecture; Buildings and Writings of J.W. Root*, New York, 1967. See also Burnham & Root.

SANT'ELIA: Caramel, L., and Longatti, A., Catalogue of the permanent collection, Como, 1962; Meyer, E. da Costa, *The Work of Antonio Sant'Elia: Retreat into the Future*, New Haven and London, 1995.

SERRURIER-BOVY: Watelet, J.-G., "*Le décorateur liégeois Gustave Serrurier-Bovy, 1858–1910*," Cahiers van de Velde, xi, 1970; Watelet, J.-G., Gustave Serrurier-Bovy, London, 1986.

SEURAT: Courthion, P., *Seurat*, New York, 1988.

SHAW: Saint, A., *Richard Norman Shaw*, New Haven and London, 1977.

SULLIVAN: Kaufmann, E., (ed.) Louis *Sullivan and the Architecture of Free Enterprise*, Chicago, 1956. On Sullivan's ornament Scully, V. in *Perspecta*, v, 1959. On the share of Elmslie, G.G., in that ornament see Sherman, P., *Louis Sullivan: An Architect in American Thought*, Englewood Cliffs, N.J., 1962; Elia, M. Manieri, *Louis Henry Sullivan*, New York, 1996. See also Richardson.

TELFORD: Penfold, A.E., *Thomas Telford*, "*Colossus of Roads*," foreword by Lord Northfield, Telford, 1981.

TIFFANY: Koch, R., *Louis C. Tiffany, Rebel in Glass*, New York, 1964 (repr. 1982); Koch, R., *Louis C. Tiffany's Glass-Bronzes-Lamps*, New York, 1971; Duncan, A., *Louis Comfort Tiffany*, New York, 1992.

TOWNSEND: "*Gallery extension, Whitechapel, London; original architect (1899): Charles Harrison Townsend, architects for restoration and extension: Colquhoun & Miller*," *Architectural Review*, vol. 175, no. 1043, January 1984, p. 23.

VALLOTON: Valloton, M., and Goerg, C., Felix Valloton, catalogue raisonné of the printed Graphic Work, 1972; Newman, S.M., Vallotton, New York, 1993.

VAN DE VELDE: Catalogue of an exhibition at the Kröller-Müller Museum, Otterloo, 1964; Hammacher, A.M., *Le monde de H. van de Velde*, Paris, 1967; Huter, K.-H., *Henry van de Velde*, Berlin, 1967; *Cahiers van de Velde; so far eleven issues*; Sembach, K.-J., *Henry van de Velde*, London, 1989.

VAN GOGH: Sund, J., *Van Gogh*, London, 2002.

VOYSEY: Pevsner, N., "*C.F.A. Voysey*," in *Studies* (see General reading), pp. 85–96. Hitchmough, W., *C.F.A. Voysey*, London, 1997.

WAGNER: Gerettsegger, H., and Peinter, M., Salzburg, 1964; Giusti Bacolo, A., Otto Wagner, Naples, 1970; Graf, O.A., "*Wagner and the Vienna School*," in *The Anti-Rationalists* (see General reading), pp. 85–96; Wagner, Otto, *Otto Wagner, Sketches, projects and executed buildings, 1841–1918*, introduction by P. Haiko, New York, 1987.

WEBB: McEvoy, M., "*Masters of Building: Webb at Brampton; Invention within a vernacular tradition*," *Architects' Journal*, vol. 190, no. 17, Oct. 25, 1989, p. 40–63; Blundell Jones, P., "*Masters of Building 8: Red House, Architect Philip Webb (1859); Architectural style through expressed construction and materials*," *Architects' Journal*, vol. 183, no. 3, Jan. 15, 1986, p. 36–56.

WHISTLER: Spencer, R., *James McNeill Whistler*, London, 2003; MacDonald, M.F., Galassi, S.G., et al. Whistler, *Women and Fashion*, New Haven and London, 2003.

WHITE: Lowe, D.G., *Stanford White's New York*, (rev. edn.) New York, 1999.

WRIGHT: Pfeiffer, B. Brooks, and Larkin, D., *Frank Lloyd Wright Master Builder*, London, 1997; Robert McCarter, *Frank Lloyd Wright*, London, 1998; Pfeiffer, B. Brooks, and Futagawa, Y., (eds.) *Frank Lloyd Wright: Prairie Houses*, Tokyo, 2002.

人名与日期对照表

建筑师与设计师

泰尔福特[Telford](1757—1834)
芬利[Finley](?—1828)
帕克斯顿[Paxton](1801—1865)
梭罗[Horeau](1801—1872)
拉布鲁斯特[Labrouste](1801—1875)
布鲁尔内[Brunel](1806—1859)
布瓦洛[Boileau](1812—1896)
肖[Shaw](1831—1912)
韦伯[Webb](1831—1915)
詹尼[Jenney](1832—1907)
埃菲尔[Eiffel](1832—1923)
戈德温[Godwin](1833—1886)
莫里斯[Morris](1834—1896)
德莱塞[Dresser](1834—1904)
德·波特[de Baudot](1834—1915)
尼斯菲尔德[Nesfield](1835—1888)
理查森[Richardson](1838—1886)
康塔明[Contamin](1840—1893)
瓦格纳[Wagner](1841—1918)
杜特尔特[Dutert](1845—1906)
德艾[Day L](1845—1910)
克兰[Crane](1845—1915)
盖勒[Gallé](1846—1904)
克平[Koepping](1948—1914)
蒂凡尼[Tiffany](1848—1933)
洛特[Root](1850—1891)
马克尔诺杜[Mackrnurdo](1851—1942)
高迪[Gaudí](1852—1926)
汤森德[Townsend](1852—1928)
怀特[White](1853—1906)
梅塞尔[Messel](1853—1909)
多姆[Daum](1854—1909)
霍拉伯德[Holabird](1854—1923)
吉尔伯特[Gilbert](1854—1934)
罗奇[Roche](1855—1927)
沙利文[Sullivan](1856—1924)
贝拉克[Berlage](1856—1934)
沃伊齐[Voysey](1857—1941)
德拉埃尔什[Delaherche](1857—?)
马诺雷纳[Majorelle](1859—1926)
汉卡[Hankar](1861—1901)
穆特修斯[Muthesius](1861—1927)
普吕梅特[Plumet](1861—1925)
霍尔塔[Horta](1861—1947)
奥布里斯特[Obrist](1863—1927)
阿什比[Ashbee](1863—1942)
凡·德·威尔德[van de Velde](1863—1957)
吉姆森[Gimson](1864—1920)
埃克曼[Eckmann](1865—1902)
史密斯[Smith](1866—1933)
欧尔布里希[Olbrich](1867—1908)
吉玛德[Guimard](1867—1942)
布朗温[Brangwyn](1867—1959)
麦金托什[Mackintosh](1868—1928)
贝伦斯[Behrens](1868—1940)
珀尔齐希[Poelzig](1869—1948)
贾尼尔[Gamier](1869—1948)
赖特[Wright](1869—1959)
卢斯[Loos](1870—1933)
伯格[Berg](1870—1947)
霍夫曼[Hoffmann](1870—1955)
塞尔莫斯汉[Selmersheim](1871—)
布鲁尔[Brewer](1871—1918)
恩德尔[Endell](1871—1925)
麦拉特[Maillart](1872—1940)
希尔[Heal](1872—1959)
施密特[Schmidt](1873—1948)
贝瑞[Perret](1874—1954)
保罗[Paul](1874—1968)
施拉德尔[Schröder](1878—1962)
格罗皮乌斯[Gropius](1883—1969)
密斯·范·德·罗[Mies van der Rohe](1886—1969)
圣伊利亚[Sant' Elia](1888—1917)

画家

莫罗[Moreau](1826—1898)
罗塞蒂[Rossetti](1828—1882)
伯恩-琼斯[Burne-Jones](1833—1898)
惠斯勒[Whistler](1834—1923)
塞尚[Cézanne](1839—1906)
雷东[Redon](1840—1916)
卢梭[Rousseau](1844—1910)
高更[Gauguin](1848—1903)
凡·高[van Gogh](1853—1890)
霍德勒[Hodler](1853—1918)
赫诺普夫[Khnopff](1858—1921)
托罗普[Toorop](1858—1928)
修拉[Seurat](1859—1891)
恩索尔[Ensor](1860—1949)
克里姆特[Klimt](1862—1918)
蒙克[Munch](1863—1944)
瓦洛东[Vallotton](1865—1925)
丹尼斯[Denis](1870—1945)
比亚兹莱[Beardsley](1872—1898)

索 引

INDEX
Numbers in italics refer to illustrations

致 谢

The publishers would like to thank the following sources for their kind permission to reproduce the photographs and illustrations in this book.

Key

BAL = Bridgeman Art Library
DACS = Design and Artists Copyright Society
MEPL = Mary Evans Picture Library
V&A = V&A Picture Library

Page 2 Corbis/Marc Garanger, 3 Corbis, 6 MEPL/Robin Adler, 12 V&A, 14 Corbis/Bettman, 17 Corbis/Hulton-Deutsch Collection, 18 tl and cl BAL/The Artworkers Guild Trustees Limited, London, 19 cr Corbis/Austrian Archives, 19 br Corbis/Bettman, 20 Corbis/Bettman, 21 akg-images, London, 22 Corbis/ Underwood & Underwood, 24 akg-images, London, 27 Corbis/Bettman, 28 BAL/ Ruskin Museum, Coniston, Cumbria, 29 BAL/Fitzwilliam Museum, University of Cambridge, UK, 30 l and r V&A, 31 t and b V&A, 32 t BAL/Private Collection, 32 b BAL/V&A, 33 Corbis/Stapleton Collection, 34 Werkbundarchiv – Museum der Dinge, Berlin, 35 Corbis/Museum der Dinge, Berlin, 36 V&A, 38, 39, 40 and 43 l Pevsner Collection, 43 r Corbis/ Stapleton Collection, 45 BAL/Victoria & Albert Museum, London, 46 bl V&A, 46 tl Pevsner Collection, 46 cl BAL/Private Collection, 47 The National Trust, 48 t A F Kersting, 48 b National Buildings Record, 49 tl Corbis/Angelo Hornak, 49 tr Corbis/Clay Perry, 50 t V&A, 50 c and b Architectural Book Publishing Co Inc, 52 l V&A, 52 r V&A, 53 r and bc V&A, 54 BAL/Private Collection, 55 r BAL/ Private Collection, 55 l Martin Charles, 56 BAL/Private Collection, 57 l BAL/ Ashmolean Museum, University of Oxford, 57 r William Morris Gallery, London, 58 BAL/Narodni Galerie, Prague, Czech Republic, 60 Hiroshima Museum or Art, 61 BAL/Philadelphia Museum of Art, Pennsylvania, PA, USA, 62 t Corbis/Francis G Mayer, 62 BAL/Private Collection, 63 l Corbis/Albright-Knox Art Gallery, 63 r The Samuel Courtauld Trust, Courtauld Institute of Art Gallery, London, 64 Kunsthaus Zurich, 65 BAL/Rijksmuseum Kroller-Muller, Otterlo, Netherlands © ADAGP, Paris and DACS, London 2005, 66 BAL/Art Institute of Chicago, IL, USA, 68 BAL/Koninklijk Museum voor Schone Kunsten, Antwerp, Belgium © DACS 2005, 69 l Collection Rijksmuseum Amsterdam, 69 r Pevsner Collection, 70 Eidgenössische Kommission der Gottfried Keller-Stiftung, Winterthur, Switerland, 72 t Corbis/Francis G Mayer, 72 b Corbis/Archivo Iconografico, SA, 73 Corbis/Alexander Burkatovski, 74 l Corbis/Christie's Images, 74 r Corbis/ Munch Museum/SCANPIX/Handout/ Reuters © Munch Museum/Munch - Ellingsen Group, BONO, Oslo, DACS, London 2005 , 75 Corbis/Christie's Images, 76 l BAL/Private Collection, 76 r The National Gallery of Scotland, 77 Corbis/Archivo Iconografico, SA, 78 t and b Corbis/Historical Picture Archive, 79 Corbis/Peter Harholdt, 80 John Edward Linden/arcaid.co.uk, 81 b National Buildings Record, 82 t BAL/Rijksmuseum Kroller-Muller, Otterlo, Netherlands, 83 BAL/Nasjonalgalleriet © Munch - Ellingsen Group, BONO, Oslo, DACS, London 2005, Oslo, Norway, 84 Chicago Architectural Photographing Co, 85 and 86 Pevsner Collection, 87 t and b V&A, 88 V&A, 90 l Corbis, 90 r V&A, 93 Corbis/Archivo Iconografico, SA, 95 l Corbis/Sandro Vannini, 95 r Richard Bryant/arcaid.co.uk, 96 t Richard Bryant/arcaid.co.uk, 96 b BAL, 97 BAL/Kunstgewerbe Museum, Zurich, Switzerland, 98 l V&A, 98 r Corbis/James L Amos, 99 l BAL/Bibliotheque des Arts Decoratifs, Paris, 99 r V&A, 100 and 101 tl Corbis/Austrian Archives, 101 br V&A, 101 bl Corbis/Historical Picture Archive, 102 Corbis/Edemédia, 104 l Brown Brother, New York 10 4 r T & R Annan & Sons, Glasgow, 105 l Edifice/Philippa Lewis, 105 r John Maas, 106 Corbis/Paul Thompson; Eye Ubiquitous, 107 Science Museum/Science & Society Picture Library, 108 Corbis/Martyn Goddard, 110 BAL/ Private Collection, 113 Corbis, 114 t V&A, 114 b Corbis/Bettman, 116 l Chicago Architectural Photographing Co Inc, 116 r Corbis/Bettman, 119 Jaques Mossot (www.structurae.de), 120 l Corbis/Leonard de Selva, 120 r Corbis/Humphrey Evans, 121 l Courtesy of the Chicago Architecture Foundation, Chicago, IL, USA, 121 r Corbis/Kevin Fleming, 122 t BAL/Archives Charmet, 123 t BAL/Fine Arts Museums of San Francisco, 123 b Corbis/Hans Georg Roth, 124 BAL/V&A, 127 BAL/Musee d'Orsay, Paris, France, 128 t V&A, 128 b Pevsner Collection, 130 Martin Charles, 131 RIBA, British Drawings Collection, 132 l Corbis/Martin Jones, 132 r Corbis/Angelo Hornak, 133 Corbis/ Michael Nicholson, 135 l Mark Fiennes/arcaid.co.uk, 135 r Hunterian Museum and Art Gallery, University of Glasgow, Mackintosh Collection, 136 Mark Fiennes/arcaid.co.uk, 138 V&A, 140 t BAL/Museum of Fine Arts, Houston, Texas, USA, 140 b BAL/Museum of Fine Arts, Boston, Massachusetts, USA, 141V&A, 142 t BAL/Private Collection, 142 b BAL/Glasgow University Art Gallery, Scotland, 143 t and b BAL/Fine Art Society, London, 144 Corbis/Stapleton Collection, 145 tl Corbis/Angelo Hornak, 145 tr V&A, 145 b Country Life Picture Library, 146 Heidrich Blessing Photographers, 147 RIBA Library Photographs Collection, 148 t RIBA Library Photographs Collection, 148 cl and bl Pevsner Collection, 149 RIBA Library Photographs Collection, 151 tl Alan Wientraub/arcaid.co.uk, 151tr Corbis/Thomas A Heinz, 151 cr Pevsner Collection © ARS, NY and DACS, London 2005, 151 br Buffalo and Erie County Historical Society , 153 tl Pevsner Collection, 153 tr Corbis/Harald A Jahn, 153 cl Pevsner Collection, 154 Corbis/Jose F Poblete, 155 Corbis/Angelo Hornak, 156 Anton Schroll & Co, 157 Earl Moursund/GreatBuildings.com, 158 Mark Fiennes/arcaid.co.uk, 159 t and b © DACS 2005, 160 and 161 t Pevsner Collection, 161 b BAL/Private Collection, Milan, Italy, 162 l BAL, 162 r Pevsner Collection, 164 l BAL/Historisches Museum der Stadt, Vienna, Austria, 164 r Corbis/Harald A Jahn, 165 l Corbis/Francis G Mayer, 165 r James Neal/arcaid.co.uk, 166 t Corbis/Thomas A Heinz © ARS, NY and DACS, London 2005, 166 b Corbis/Layne Kennedy, 167 Corbis/G E Kidder Smith © ARS, NY and DACS, London 2005, 168 t Pevsner Collection, 168 b Corbis/Michael Nicholson, 169 BAL